ORGANIZADORA
Selma dos Santos Dealdina

mulheres quilombolas

territórios
de existências
negras
femininas

1ª REIMPRESSÃO

SUELI CARNEIRO   jandaíra

Copyright © 2020 Selma dos Santos Dealdina
Todos os direitos reservados à Editora Jandaíra, selo Sueli Carneiro, uma marca da Pólen Produção Editorial Ldta., e protegidos pela Lei 9.610, de 19.2.1998.
É proibida a reprodução total ou parcial sem a expressa anuência da editora.

Este livro foi revisado segundo o Novo Acordo Ortográfico da Língua Portuguesa.

Direção editorial
Lizandra Magon de Almeida

Coordenação editorial
Luana Balthazar

Produção editorial
Mariana Oliveira

Edição externa
Élida Lauris

Preparação de texto
Mariana Oliveira

Revisão
Lizandra Magon de Almeida
Marcela Ramos

Capa e projeto gráfico
Alberto Mateus

Diagramação
Crayon Editorial

Maria Helena Ferreira Xavier da Silva/ Bibliotecária – CRB-7/5688

M956   Mulheres quilombolas : territórios de existências negras femininas / organização [de] Selma dos Santos Dealdina. – São Paulo : Sueli Carneiro : Jandaíra, 2021.
168 p. ; 21 cm.

ISBN 978-65-87113-18-0

1. Mulher negra - Quilombo. 2. Mulher negra - comunidade quilombola – relações sociais. 3. Relações Étnicas e Raciais. 4. Quilombo - identidade cultural. 5. Quilombo - identidade social. 6. Discriminação racial. 7. Escritoras negras – quilombola. I. Dealdina, Selma dos Santos, coord. II. Título.

CDD 305.4209815

jandaíra

Rua Vergueiro, 2087 cj. 306 · 04101-000 · São Paulo, SP
11 3062-7909   editorajandaira.com.br
Editora Jandaíra   @editorajandaira

AGRADECIMENTOS

Agradeço pela disponibilidade de expor nossa fala, nossa memória, enquanto mulheres de luta e resistência em nossos territórios, nos diversos campos de ação.

NILCE DE PONTES PEREIRA DOS SANTOS

Quero agradecer pelo carinho e dedicação. Desejo muito sucesso. Que nosso livro alcance os quatro cantos desta terra.

REJANE MARIA DE OLIVEIRA

Agradeço aqui pela oportunidade de falar um pouco dos saberes quilombolas, desse povo que tanto tem para nos ensinar.

CARLÍDIA PEREIRA DE ALMEIDA

É uma grande satisfação e alegria fazer parte deste livro. Quero agradecer a vocês, Djamila e Selma, pela iniciativa de nos convidar e contribuir com o conteúdo desta obra. Obrigada por me permitir participar.

ANDREIA NAZARENO DOS SANTOS

O destino de uma mulher é ser mulher; mas para ser mulher negra, ser mulher quilombola, é preciso força, fé e muita luta para ter o seu destino. Obrigada, Djamila, por ser esta mulher.

SANDRA MARIA DA SILVA ANDRADE

Nesta oportunidade, agradeço pelo acolhimento do trabalho desenvolvido, em especial às mulheres quilombolas, que me antecederam abrindo os caminhos e quebrando as barreiras, nossas mártires e referências. Sou porque vocês são! Ubuntu!

MÔNICA MORAES BORGES

Agradeço por esta oportunidade de participar de mais uma obra e poder contribuir para melhor condição física e mental através da boa literatura brasileira.

DALILA REIS MARTINS

Teço aqui meu simplório agradecimento de mulher negra quilombola para mulher negra Djamila, por nos proporcionar a liberdade de publicar, neste maravilhoso escrito, as nossas narrativas de história e vivências do nosso ponto de vista.

VERCILENE FRANCISCO DIAS

Agradecemos à Djamila Ribeiro por utilizar seu espaço de visibilidade pública e nos dar as mãos para contar nossas histórias. Apresentamos juntas, em grafia, nossas lidas, nossos saberes, nossos sonhos. Somos gratas por tê-la lado a lado em nossa missão ancestral.

ANA CAROLINA ARAÚJO FERNANDES

Agradeço ao povo quilombola de Pau D'arco e Parateca, em Malhada, na Bahia, especialmente às mulheres que são símbolo da luta e resistência de nosso povo. À minha família, em especial às minhas Iaiás (vó) Celestina Magalhães e Jesulita dos Santos Mendes.

VALÉRIA PÔRTO DOS SANTOS

Ao povo quilombola de Conceição das Crioulas, em Salgueiro, Pernambuco, sobretudo às mulheres, a quem devo grande parte do que aprendi na vida, que contribuíram para a minha formação pessoal e definição política. Na pessoa da minha avó Firmiana Marcionília (*in memoriam*), agradeço por me confiarem a responsabilidade de me aprofundar nos estudos sobre o combate à violência doméstica no nosso território.

MARIA APARECIDA MENDES

A invisibilidade e o silenciamento das vidas, histórias e corpos negros tem como objetivo principal perpetuar a dominação e a violência. Insurgimos todos os dias, em diferentes lugares e contextos, contra todos os tipos de opressão, o silêncio é um deles. Por isso, nós, mulheres quilombolas, aqui representadas pelo coletivo de mulheres da Conaq, queremos agradecer a parceria na busca de visibilizar as histórias de luta e resistência das mulheres quilombolas, secularmente silenciadas.

GIVÂNIA MARIA DA SILVA

Agradeço a todos os meus ancestrais que me guiam nesta caminhada, às companheiras de luta e de vida. A minha matriarca e a minha mãe, Osmarina, por me ensinarem que o mundo é nosso e que nós, mulheres, somos feitas de luta e fé.

AMÁRIA CAMPOS DE SOUSA

Agradeço aos meus ancestrais, em especial a Dona Antônia de Barros (matriarca do meu quilombo); a minha mãe Aldenira Gomes, meu referencial de luta e resistência; toda a minha comunidade e as mulheres que me inspiram nesta caminhada.

DÉBORA GOMES LIMA

Gostaria de agradecer pela oportunidade de ter uma frase publicada em um livro de mulheres negras, gratidão por essa oportunidade de ter nossas histórias contadas neste livro, lançado pelo selo Sueli Carneiro.

MARIA APARECIDA RIBEIRO DE SOUSA

Estou muito feliz por estar fazendo parte deste livro, com minhas músicas e letras que falam do dia a dia do nosso quilombo. Quero dedicar isso ao grupo de mulheres quilombolas de Santarém Na Raça e na Cor, que carrega o nome de uma música minha. Também quero agradecer às mulheres das comunidades quilombolas, aos nossos quilombos, à Selma Dealdina da Conaq, à Terra de Direitos e à Layza Queiroz, que apoiaram a gravação do meu primeiro CD.

ANA CLEIDE DA CRUZ VASCONCELOS

Agradeço pelo convite e pela iniciativa de dar visibilidade às nossas trajetórias enquanto mulheres quilombolas: muito obrigada!

GESSIANE NAZÁRIO

Agradeço aos amores da minha vida, minha família, meu tudo: meus pais, Rosa Dealdina (*in memoriam*) e Manoel Dealdina; minhas irmãs e irmãos, Domingas Dealdina, Matilde Dealdina, Célia Dealdina, Rogério Dealdina e José Fernando Dealdina; e meus sobrinhos, Isabella, Kayla Makheda, Luiz Henrique e Akeem, razões do meu viver. Ao meu avô, Ernane Feliciano dos Santos (*in memoriam*), que me contava histórias do meu povo, da minha gente e das minhas e dos meus antepassados, amor e saudades eternas.

À Djamila Ribeiro, agradeço pela confiança, oportunidade e respeito pela luta quilombola, em especial pelo reconhecimento dado a nós, mulheres quilombolas. Sem palavras, só sei dizer a você, Djamila Ribeiro, que é uma honra caminhar contigo. Que os orixás continuem abençoando e sendo luz no seu caminho.

Agradeço à Élida Lauris pela paciência e dedicação e pela inestimável contribuição no processo de revisão do manuscrito, contribuindo para que essa publicação acontecesse.

Através do trabalho da Coordenação Nacional de Articulação das Comunidades Negras Rurais Quilombolas (Conaq), tenho acompanhado a ação incrível de um movimento coeso, dinâmico e engajado na transformação da vida de quilombolas em todo o Brasil. Um movimento que me orgulha e do qual tenho a honra de fazer parte, minha segunda pele.

À Coalizão Negra por Direitos agradeço pela oportunidade de integrar a reunião de vários segmentos no Movimento Negro do Brasil e, assim, contribuir para e testemunhar a abertura de novos caminhos de diálogos, revigorando antigas batalhas para que pudéssemos aqui estar.

Junto da Via Campesina, de várias entidades e movimentos do campo, entre eles a Conaq, temos rompido as cercas da ignorância sobre os povos do campo, das águas e das florestas, denunciando a ação nociva do latifúndio, do agronegócio e dos empreendimentos desenvolvimentistas por dias melhores para todas e todos. Enquanto eles querem guerra, nós queremos terra!

Ao agradecer a Yá Ana Paula de Osún (Axé da Casa Amarela), Fernando Prioste, Élida Lauris, Luiza Viana, Sandra Braga, Rita Zanotto, Layza Queiroz, Camila Ferreira, Jhonny Martins, Douglas Belchior, Rawy Sena, Graça Sá, Leonor Araújo, Marilene Pereira, Darlah Farias, Andres Rauh, Maria Aparecida Sousa, Cleuton Freitas, Regina Adami, Iracy Cláudia, Nathália Purificação, João Francisco de Almeida, Florisvaldo Silva, Ton Purificação, Wilma Cairu Josefa e Bianca Santana, agradeço a todas as minhas amigas e aos meus amigos pelos anos de companheirismo, cumplicidade, afeto e amor.

A Nilma Lino Gomes e Flávia Oliveira agradeço pelas palavras gentis de apresentação deste livro, que, ao nos reconhecerem, nos fortalecem e estimulam a nossa luta. A escrita e a trajetória dessas duas mulheres negras têm sido uma inspiração para todas nós.

A essa coletiva de mulheres quilombolas incríveis que sonharam comigo e embarcaram nessa jornada, meus espelhos, minhas lideranças, minhas coordenadoras, as pessoas mais maravilhosas com que alguém poderia contar. Sinto-me grata pelo privilégio de caminhar com Givânia Maria da Silva, Maria Aparecida Mendes, Vercilene Francisco Dias, Amária Campos de Sousa, Débora Gomes Lima, Maria Aparecida Ribeiro de Sousa, Gessiane Nazário, Sandra Maria da Silva Andrade, Ana Carolina Araújo Fernandes, Valéria Pôrto dos Santos, Carlídia Pereira de Almeida, Mônica Moraes Borges, Rejane Maria de Oliveira, Andreia Nazareno dos Santos, Nilce de Pontes Pereira dos Santos, Ana Cleide da Cruz Vasconcelos e Dalila Reis Martins. A todas elas, meu reconhecimento e a minha profunda gratidão.

Agradeço ao meu pai Sangó. A Exu, que abre meus caminhos. A São Benedito, de quem sou devota, aos orixás e santos que cultuo com minha fé e que me sustentam de pé!

SELMA DOS SANTOS DEALDINA

SUMÁRIO

Apresentação 13
SELMA DOS SANTOS DEALDINA

Mulheres da Amazônia e Povo Negro 21
ANA CLEIDE DA CRUZ VASCONCELOS

Mulheres quilombolas: defendendo o território,
combatendo o racismo e despatriarcalizando a política . . 25
SELMA DOS SANTOS DEALDINA

Quando uma mulher quilombola tomba,
o quilombo se levanta com ela 45
COLETIVO DE MULHERES DA CONAQ

Mulheres quilombolas: afirmando o território na luta,
resistência e insurgência negra feminina 51
GIVÂNIA MARIA DA SILVA

"Saindo do quarto escuro": violência doméstica e a luta
comunitária de mulheres quilombolas em Conceição
das Crioulas 59
MARIA APARECIDA MENDES

Eu Kalunga: pluralismo jurídico e proteção da identidade
étnica e cultural quilombola 75
VERCILENE FRANCISCO DIAS

Da comunidade à universidade: trajetórias de luta
e resistência de mulheres quilombolas universitárias
no Tocantins 87
AMÁRIA CAMPOS DE SOUSA, DÉBORA GOMES LIMA E MARIA
APARECIDA RIBEIRO DE SOUSA

Trajetória acadêmica, raça e identidade quilombola:
um breve relato biográfico 97
GESSIANE NAZÁRIO

"Eu sempre fui atrevida": alguns movimentos
de uma filha de Xangô na luta quilombola 109
SANDRA MARIA DA SILVA ANDRADE
E ANA CAROLINA ARAÚJO FERNANDES

Quilombo Pau D'arco e Parateca: quando as vozes
negras se (re)envolvem na construção de caminhos
para a participação coletiva 129
VALÉRIA PÔRTO DOS SANTOS

Sementes crioulas, da ancestralidade para a atualidade:
o protagonismo dos saberes tradicionais do povo
quilombola de Lagoa do Peixe 145
CARLÍDIA PEREIRA DE ALMEIDA

Mulher quilombola em primeira pessoa 157
DALILA REIS MARTINS, MÔNICA MORAES BORGES,
REJANE MARIA DE OLIVEIRA, ANDREIA NAZARENO DOS SANTOS
E NILCE DE PONTES PEREIRA DOS SANTOS

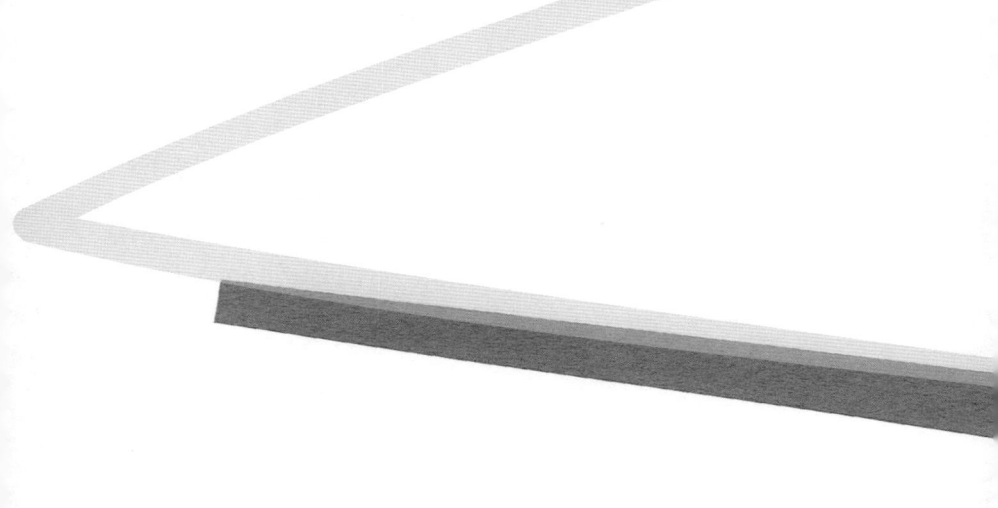

SER MULHER QUILOMBOLA É sinônimo de resistência. Significa carregar na identidade, no corpo, no cuidado com a família, na lida no campo ou na agitação do urbano uma história ancestral de muita dignidade.

As mulheres quilombolas constroem conhecimentos que emancipam a elas mesmas e as outras pessoas do quilombo. Compreendem a importância política e jurídica do território e da terra, bem como a sua força vital na construção das identidades quilombolas as quais se afirmam por meio das lutas cotidianas contra toda sorte de opressão.

Dignidade, direitos, participação, equidade e justiça social são eixos orientadores das práticas sociais e políticas das comunidades quilombolas brasileiras. A esses elementos centrais, as mulheres introduziram o recorte de gênero, raça e geracional, aperfeiçoando as pautas de lutas e as demandas por políticas públicas.

Ser mulher quilombola é denunciar para a sociedade as situações de violência sofridas pelas meninas, adolescentes e jovens quilombolas devido à imbricação perversa entre o racismo, o machismo e a lógica patriarcal que permanecem incrustados nas relações de poder, sociais, de trabalho e privadas.

A capacidade de trabalhar coletivamente, tomar posições e decisões firmes faz parte da trajetória social e política dessas mulheres. Elas sabem que a emancipação social é um projeto de mudança de sociedade e de país que se constrói por meio de lutas coletivas.

NILMA LINO GOMES,
PROFESSORA TITULAR DA FACULDADE
DE EDUCAÇÃO DA UFMG

Apresentação
SELMA DOS SANTOS DEALDINA

29 DE AGOSTO DE 2017

    Djamila: Oi, Selma, tudo bem? Estou organizando uma coleção e gostaria muito que em um dos livros fosse abordada a questão das mulheres quilombolas e formas de resistência. Te interessa escrever um sobre?
    Eu (Selma): Ei, Djamila. Estou bem, e você? Nossa Senhora dos Quilombos, que responsabilidade! Kkkkk aceito, sim!
    Djamila: Eba!! Vou te passar infos por e-mail!
    Eu (Selma): Ansiosa! Obrigada!

Essas mensagens, transcritas na íntegra, foram trocadas com Djamila Ribeiro em 2017. Foi com um misto de alegria e de muito medo que as recebi, considerando o tamanho da responsabilidade. Depois de quase três anos de mobilização, sensibilização e muito trabalho, conseguimos, enfim, dar conta do desafio.

Após receber o convite, decidi fazer deste livro uma experiência coletiva, porque coletiva é a nossa luta e coletivos são os nossos territórios quilombolas. Inspirada na ancestralidade, o processo de escrita jamais poderia ser único ou partir de um ponto de vista isolado. Portanto, só seria possível compor este livro se ele se comprometesse com a pluralidade de histórias e narrativas produzidas em nossos territórios.

É preciso expressar nossas narrativas múltiplas para que as pessoas saibam quem somos, o que pensamos, o que produzimos em nossos territórios, assim como nosso modo de lidar com a terra, com o meio ambiente, com as ervas medicinais, com as sementes, com a devida salvaguarda dos nossos saberes e dos nossos conhecimentos ancestrais. São várias as frentes e trincheiras de lutas que passam pela academia e por diversos outros espaços de produção do conhecimento. É assim que esta coletiva, coordenada por Djamila Ribeiro, apresenta a vocês, nesta proposta inédita para nós, mulheres quilombolas, as nossas narrativas em primeira pessoa. Se a história é nossa, deixa que a gente conta.

O objetivo do Selo Sueli Carneiro é potencializar a publicação de produções literárias negras brasileiras, bem como a tradução de produções estrangeiras, valorizando obras produzidas por mulheres, em especial negras, indígenas, LGBTQI+, latinas e caribenhas. Ver uma pauta tão urgente como a quilombola fazer parte desta coleção é um empreendimento inédito e pioneiro.

Nos dois anos de escrita deste livro, foram intensas as pesquisas e leituras. Como resultado, adquirimos um acervo de publicações escritas por mulheres negras do qual muito me orgulho. Nele estão incluídos nomes tão inspiradores como Djamila Ribeiro, Angela Davis, Chimamanda Ngozi, Sueli Carneiro, Michelle Obama, Zélia Amador, Sirlene Barbosa Correa Passold, Givânia Maria da Silva, Nilma Lino Gomes, Mariléa Almeida, Matilde Ribeiro, Carolina de Jesus, Barbara Oliveira Souza, Conceição Evaristo, bell hooks, Flávia Oliveira, Ana Maria Gonçalves, Yaa Gyasi, Jurema Werneck, Rosane Borges, Eliana Alves Cruz, Elisabete Aparecida Pinto, Bianca Santana, Joice Berth, Carla Akotirene, Juliana Borges, entre outras escritoras maravilhosas que tenho a honra de conhecer pessoalmente ou que tive a oportunidade de conhecer pela leitura.

APRESENTAÇÃO

Foram centenas de artigos, entrevistas, muitos filmes, seriados, documentários, músicas, dezenas de revistas (com mulheres e homens negros na capa). Procuramos nos basear numa diversidade de escritoras e escritores negros, dentre os quais é imprescindível citar nosso escritor quilombola Antônio Bispo dos Santos (Nêgo Bispo) do Quilombo Saco-Curtume, em São João do Piauí, estado do Piauí, que nos faz refletir sobre os saberes orgânicos e sintéticos produzidos pela nossa existência enquanto quilombolas. Notícias, documentos e publicações do trabalho de algumas organizações foram referências obrigatórias, como o trabalho de Alma Preta, Carta Capital, do Geledés – Instituto da Mulher Negra, de Criola (Organização de Mulheres Negras), do Ceert (Centro de Estudos das Relações de Trabalho e Desigualdades), da Conaq e da Terra de Direitos, além das publicações de companheiras do Movimento dos Trabalhadores Rurais Sem Terra, do Movimento de Mulheres Camponesas, da Marcha Mundial de Mulheres, da Articulação de Organizações de Mulheres Negras Brasileiras, da Confederação Nacional dos Trabalhadores na Agricultura, do Movimento dos Pequenos Agricultores e do Centro Feminista de Estudos e Assessoria. Uma miríade de documentos públicos (decretos, portarias, leis, etc.) e trabalhos acadêmicos (monografias de graduação, dissertações de mestrado, teses de doutorado, artigos, etc.) foram consultados e incorporados na reflexão deste livro.

Em um livro certamente não vamos conseguir incluir tudo que sentimos ou pensamos ou contemplar as especificidades de todas as mulheres quilombolas, mas este pode ser o pontapé inicial para que outras narrativas e publicações aconteçam.

A ligação de cada mulher quilombola com seu território e sua ancestralidade, como o quilombo constitui cada uma de nós e como transformamos nossos quilombos, é um elemento marcante em todos os capítulos deste livro. Meu sobrenome, Dealdina, advém do primeiro nome da minha bisavó paterna. Saber dessa história me fortalece e me faz usá-lo com ainda mais orgulho. Um sobrenome que me define, que marca meu ser/estar no mundo como mulher negra. Para cada homem e mulher negra é significativo conhecer a história que nos foi negada e tem sido carregada por aquelas e aqueles que nos antecederam. As histórias dos quilombos se completam. Mesmo em estados diferentes, em territórios e biomas diversos, a luta pela preservação e valorização da identidade quilombola é contínua e nos une.

Sou tataraneta de Silvestre Nagô, que enfrentou o sistema escravocrata de São Mateus. São Mateus é o segundo município mais antigo e o sétimo mais populoso do estado do Espírito Santo. Fundado em 21 de setembro de 1544, foi inicialmente chamado de Povoado do Cricaré. A população atual conta com aproximadamente 150 mil habitantes. A cidade é considerada um marco do processo de colonização do solo do Espírito Santo.

Estima-se que São Mateus seja o município com a maior população afrodescendente do estado do Espírito Santo. Até a segunda metade do século 19, o Porto de São Mateus era uma das principais portas de entrada de africanos escravizados no Brasil. Entre 2002 e 2003, eu estava entre os jovens quilombolas que foram a campo para reescrever a história do território Sapê do Norte, mapeando quantos quilombos existiam e quantos quilombolas ali residiam e resistiam. Assim, aprofundei os laços com a minha ancestralidade, contribuindo para contar e recontar a história de vida de quilombolas do meu território, entre eles, meu tataravô.

Silvestre Nagô andava pelas ruas do sítio histórico Porto de fraque, bengala, cartola e pés descalços. Afirmava que só andaria calçado quando todas as negras e negros pudessem se calçar. Infelizmente, na nossa sociedade historicamente marcada pelo racismo e inferiorização das pessoas negras, meu tataravô continuaria andando descalço nos dias atuais. Produtor de farinha de mandioca no Quilombo de Nossa Senhora de Sant'Ana, ele se

APRESENTAÇÃO

destacava pela habilidade e inteligência. Em 1881, quando o Quilombo liderado por Negro Rugério foi invadido e este morreu na luta, Silvestre Nagô suicidou-se, jogando-se na embocadura do rio Itaúnas com o mar.[1]

Em que pese toda a invisibilidade da história de negras e negros no país, no meu lugar, na minha casa, que é o Território Sapê do Norte, mantemos as referências a nossas heroínas e heróis negros. Elas e eles são diretamente responsáveis pela história da região, pois foi com a rica contribuição dos escravizados e dos quilombos que a identidade do povo dos municípios de São Mateus e Conceição da Barra se moldou. Em termos de construção diária dos hábitos e costumes locais, o patrimônio cultural quilombola está presente na gastronomia à base dos derivados de mandioca, nas brincadeiras de roda, nas manifestações culturais e nas histórias emblemáticas de personagens como Silvestre Nagô, Benedito Meia-Légua, Negro Rugério, Zacimba Gaba e Constância de Angola.[2]

Esta publicação está fundamentada no olhar de mulheres sobre a realidade enfrentada por outras mulheres nas lutas e na atuação em diversos campos. Temas ainda tabus precisam ser enfrentados, como a legalização do aborto ou o respeito às companheiras quilombolas lésbicas. Na tentativa de compreender as mulheres a partir das especificidades de cada uma de nós, evitamos julgamentos precipitados e estendemos nossa solidariedade às situações enfrentadas por cada companheira, como aquelas que ainda vivem em situação de violência doméstica. Demos nossos primeiros passos no caminho de nos enxergarmos como feministas negras. Vamos aprendendo a lidar com esse tema até então distante de nossa realidade, não exatamente por meio do conhecimento abstrato das práticas feministas, mas sim de ações concretas, perante problemas do nosso cotidiano, que nos permitem enxergar a nós mesmas dentro desse caldeirão que é o feminismo. Nesse caminho vamos nos apropriando e nos sentindo parte do feminismo dentro de uma concepção quilombista. Esse é um caminho também de formulação da nossa visão do feminismo negro. Para isso, nós, mulheres negras do campo, precisamos assumir o papel desafiador de escrever.

Neste livro, falamos do direito ao território pelo olhar das mulheres quilombolas e narramos como enfrentamos a violência doméstica e rompemos o ciclo do silenciamento. Falamos de nosso sentimento de pertencimento e da afirmação da nossa identidade quilombola. Trazemos para estas páginas a trajetória de muitas de nós, que nos desafiamos a enfrentar os bancos das universidades, que nos atrevemos a assumir a liderança da luta num movimento de homens e mulheres, construindo a luta coletiva em nossos territórios. Contamos como lidamos com nosso maior patrimônio, as sementes, e falamos do protagonismo das mulheres quilombolas na dinâmica da militância – o ativismo tem sido a alternativa para estar do lado certo da história.

O ativismo é tão dinâmico que nele não fazemos o tempo, e sim corremos contra o tempo. Tudo precisa ser imediato, dormimos literalmente com um olho no queijo e outro no rato. Nessa labuta, ao cometermos equívocos, estes podem ser mortais para nossa existência. Para nós, mulheres negras, a carga da liderança é muito mais pesada, pois, escolhendo encarar a jornada da luta pelo coletivo e pelo bem comum, muitas vezes esquecemos de cuidar de nós mesmas, algo mais recorrente do que deveria ser.

E foi abrindo mão do tempo de olhar para a família que, em fevereiro de 2019, meus irmãos e eu descobrimos que nossa mãe estava muito doente. Meses depois confirmamos o diagnóstico de câncer e, para nosso desespero, em estado terminal.

Junto os cacos que sobraram, com o coração devastado de dor, calejado de tanto apanhar da vida, que sempre me bateu com muita força, sem pena, muitas vezes sem esperar que eu juntasse forças para me levantar do chão, e sinto na pele a pior dor que já senti: a perda da minha mãe nos seus 68 anos de idade. Finalizo este livro arrastando um enorme vazio no coração, que dói tanto que às vezes me falta ar. Despeço-me de minha mãe neste plano, confiando que nos encontraremos em breve.

Na reta final, pedi muita força a Xangô para conseguir concluir a escrita deste trabalho, acreditando que a justiça pela qual tanto lutamos será feita, pois a justiça de Xangô está do nosso lado. Ouvi durante todo tempo que preciso ser forte, porque sou guerreira, quando na verdade não quero ser forte; guerrear também cansa. Só quero desabar sem que nada ampare minha queda; porque não sou fraca por cair e chorar, só não consigo ser forte o tempo todo, e quero ter esse direito.

Antes mesmo que pudesse me recuperar, doze dias depois, perdemos Mãe Sebastiana, mãe de Sandra Maria; e recentemente seu João Antonio, pai de Sandra Braga, também nos deixou. Assim, nos unimos na luta, na labuta, no luto e na dor. Foi um ano difícil, 2019, que nos desafiou a seguir sem a presença física dessas duas mulheres incríveis, Mãe Sebastiana e minha mãe, detentoras dos saberes populares, que neste plano várias vezes confortavam uma a outra por telefone e agora seguem em outro plano, no Olorum, na ancestralidade para sempre. Neste mesmo ano, perdemos também Isabel Genelicio, líder do Quilombo Chácara das Rosas, em Canoas, Porto Alegre, Rio Grande do Sul, e Camila Martins de Deus, do Quilombo Lajeado, em Dianópolis, Tocantins. Em 2020, perdemos para a Covid-19 Carivaldina Oliveira da Costa, tia Uia, liderança do Quilombo da Rasa, em Armação dos Búzios, no Rio de Janeiro.

Dedicamos este livro a nossas matriarcas, mães e avós quilombolas, guardiãs da nossa memória e saber ancestral, responsáveis pela transmissão de conhecimentos e pelo exemplo de liderança política que permite a continuidade da nossa luta. Reconhecemos também e nos solidarizamos com todas as mães quilombolas que, no ciclo contrário da vida, assistiram a suas filhas e filhos partirem. À Dona Maria Santos, mãe de João da Conceição, vítima de um acidente de carro em 2017, e à Dona Bernadete Pacífico, que teve o filho Binho do Quilombo executado por denunciar os poderosos e as práticas de racismo ambiental em Simões Filho (BA), no mesmo ano. Às vezes me pergunto de onde a gente tira força para seguir, mas resistimos, para existir com muita resiliência. Cada mulher preta é um quilombo, é a resistência às mazelas que nos impõem todos os dias.

Conseguimos concluir esta obra e a fizemos com muito carinho. Nossas palavras são singelas, singulares, do nosso jeito, da nossa forma de viver no coletivo e na busca de aprender nas labutas diárias o nosso papel enquanto mulheres quilombolas, em entender onde nos encaixamos no feminismo negro entre tantas pautas caras para nós. Aqui narramos nossas dores, desafios, vitórias, histórias de resistência, cada uma a sua maneira, do seu lugar de pertencimento e de fala.

Rosa Dealdina e Sebastiana Geralda... Presente! Hoje e sempre!
Desejamos a você, leitora e leitor, uma boa leitura!

Notas

[1] A história de Silvestre Nagô está registrada em Aguiar, Maciel de. **História dos quilombolas**: Silvestre Nagô. São Mateus: Memorial, 2017. v. 8.

[2] As histórias foram contadas, em diferentes volumes, na obra supracitada de Maciel de Aguiar, **Histórias dos quilombolas**.

Mulheres da Amazônia e Povo Negro

ANA CLEIDE DA CRUZ VASCONCELOS

Mulher quilombola do Quilombo Arapemã, em Santarém, estado do Pará. É coordenadora do Movimento de Mulheres Negras Quilombolas de Santarém Na Raça e na Cor. Além disso, é poeta, cantora e compositora, autora de 29 letras de músicas. Desde 2005 é ativista da Federação das Organizações Quilombolas de Santarém, movimento que integra doze quilombos, no planalto e na várzea da região.

ANA CLEIDE DA CRUZ VASCONCELOS

Mulheres da Amazônia

As mulheres da Amazônia,
Negras, indígenas, pescadoras.
As lavadeiras, as parteiras e as benzedeiras.
Muitos anos atrás
Elas sofriam demais
Sem conhecer seus direitos
Muita coisa ficava pra trás
Mas hoje tudo mudou
Com a luta das mulheres
Muita coisa se concretizou
Avançamos na política, avançamos na sociedade.
Avançamos no trabalho, na saúde, na educação.
Mas ainda tem gente que diz
E usa de discriminação
Dizendo que o lugar da mulher sempre foi na beira do fogão
Ah! Companheiro, isso não existe mais não.
Porque a mulher tem seu direito e seu poder de decisão.
Ah! Companheiro, isso não existe mais não.
Porque a mulher tem seu direito e seu poder de decisão.

Povo Negro

Axé, meu bem
Axé, neném
Axé, seu Zé, venha tomar café
Seu Zé, me conte como vai o nosso povo

O povo negro é lutador,
mas é um povo que tem cultura e tem muito amor.
O povo negro é sofredor,
mas não desiste, não, de sua objeção.
O povo negro é trabalhador,
é pescador pra sua família alimentar.
O povo negro quer terra pra morar,
quer terra pra plantar, mas não tem lugar.

Então, seu Zé, levante
e cante comigo este refrão:
O que queremos é titulação
o que queremos é titulação

Titula, titula, meu irmão
nosso pedaço de chão.
Titula, titula, meu irmão
nosso pedaço de chão.

Mulheres quilombolas: defendendo o território, combatendo o racismo e despatriarcalizando a política

SELMA DOS SANTOS DEALDINA

Mulher quilombola do Angelim III, Território do Sapê do Norte, em São Mateus, no Espírito Santo. Assistente social formada pela Universidade Anhanguera, graduanda em História (licenciatura) pela Universidade Estácio de Sá e em Gestão Financeira pela Unip. Foi gerente de política para as Mulheres do estado do Espírito Santo, vem atuando ao longo dos anos em diversos coletivos e movimentos sociais, entre eles a assessoria da Coordenação Estadual das Comunidades quilombolas do Espírito Santo, "Zacimba Gaba", o Coletivo de Mulheres da Conaq, Via Campesina, Núcleo da Marcha das Mulheres Negras do Espírito Santo, Comissão Espírito-santense de Folclore, Coletivo Auto-organizado de Mulheres de São Mateus (Belas) e Coalizão Negra por Direitos. É conselheira da Anistia Internacional, Fundo Socioambiental Casa e membro do Instituto Elimu Professor Cleber Maciel (ES). Atualmente é secretária executiva da Coordenação Nacional de Articulação das Comunidades Negras Rurais Quilombolas (Conaq).

A EXISTÊNCIA DOS QUILOMBOS na História do Brasil representa um projeto de partilha, de viver em comunidade, de construção do território enquanto coletivo, compartilhando o acesso a bens, em especial à terra. Sem mobilizar esses conceitos, o quilombo constitui-se em um projeto de alternativa ao capitalismo, de reforma agrária e socialismo, como tem afirmado Givânia Maria da Silva em diferentes contextos. Em 1888, com a falsa abolição, foi implantado no Brasil um regime excludente, seguido por uma legislação cruel de acesso à terra que, contrariando os princípios do quilombo, fortaleceu a concentração latifundiária e a subjugação da população negra à condição de um não sujeito de direitos.

A criação da Coordenação Nacional de Articulação das Comunidades Negras Rurais Quilombolas (Conaq) integra, no processo de reconhecimento de direitos da Constituição de 1988, a afirmação de quilombolas de diferentes estados do Brasil como sujeitos de direitos. Criada em 12 de maio de 1996 no Quilombo de Rio das Rãs, em Bom Jesus da Lapa, na Bahia, a Conaq tem atuação nos 26 estados da Federação. Em 24 anos de existência, já foram realizados, entre tantas atividades, cinco encontros nacionais: de 17 a 20 de novembro de 1995, em Brasília (DF); de 29 de novembro a 2 de dezembro de 2002, em Salvador (BA); de 3 a 7 de dezembro de 2003, em Recife (PE); de 3 a 6 de agosto de 2011, no Rio de Janeiro (RJ) e de 22 a 26 de maio de 2017 em Belém (PA). Os encontros nacionais e outros espaços de organização e incidência têm contribuído para afirmar a presença e a identidade quilombolas na construção dos mecanismos de luta em defesa do território e por direitos e reconhecimento. Por sua vez, o trabalho de coordenações e federações estaduais e de associações locais tem aprimorado o processo de participação de quilombolas em diversas oportunidades, tais como conselhos de políticas públicas, grupos de trabalhos, fóruns, conferências de participação social, seminários, entre outros encontros (no nível municipal, regional, estadual e nacional); essa participação é ativa e tem contribuído para o fortalecimento das organizações quilombolas em diferentes localidades do país.

Embora a legislação atual seja favorável ao reconhecimento dos direitos territoriais quilombolas, é flagrante o seu descumprimento. Um conjunto de interesses em favor da concentração da terra na mão de poucos (proteção de latifundiários, expansão do agronegócio e de projetos de desenvolvimento), aliado a políticos profissionais corruptos, tem impedido que territórios sejam demarcados. Os territórios quilombolas vêm resistindo ao longo dos anos a um quadro de total abandono no que diz respeito a políticas públicas, sem acesso a saneamento básico, direito de moradia adequada, políticas de educação escolar quilombola ou saúde. Agravam essa situação os permanentes conflitos em defesa dos territórios, o que tem submetido a população quilombola à violência psicológica, moral e física, como a iminência de despejos ou remoções forçadas, a prática de racismo ambiental, restrições ao direito de ir e vir, ameaças à vida e assassinatos, só para citar alguns exemplos.

A legislação em defesa dos direitos de quilombolas no Brasil surge com a Constituição da República Federativa do Brasil de 1988, que reconhece e protege nossos direitos sociais, culturais, econômicos e políticos. Os dispositivos constitucionais aplicam-se integralmente a mulheres e homens quilombolas. O Artigo 68 do Ato das Disposições Constitucionais Transitórias (ADCT), por sua vez, afirma o nosso direito à propriedade dos nossos territórios. A partir dos preceitos constitucionais, quilombolas têm conquistado, ao longo da história, outros instrumentos de defesa e fortalecimento dos seus direitos.

A existência de uma coordenação nacional, entre outros movimentos e frentes locais e estaduais que tocam a pauta quilombola, permite-nos dizer em alto e em bom som, através de várias vozes, que: Nós, quilombolas, existimos, sim. Existimos e resistimos!

Quilombolas? Como vivem? O que fazem? O que pensam? Pelo que lutam? Somos mais de 6 mil quilombos no Brasil, nos 26 estados da Federação. Desses quilombos, aproximadamente 3.386 são certificados pela Fundação Cultural Palmares (FCP), de acordo com os dados desta instituição, e 181 são territórios titulados: 139 por governos estaduais, 39 pelo Governo Federal e três por governos estaduais e federal conjuntamente. Existem 1.691 processos para a regularização de territórios quilombolas abertos no Instituto Nacional de Colonização para Reforma Agrária (Incra), aguardando os passos de um processo que formaliza, para as instituições do Estado brasileiro, o direito ao território que nos pertence ancestralmente.

Se na época da escravização nossas e nossos ancestrais lutavam pela liberdade e conquistavam a carta de alforria, nos tempos atuais essa carta de alforria simbólica é a certidão emitida pela Fundação Cultural Palmares. Explico: é por meio dessa certidão que o Estado brasileiro nos reconhece como cidadãos quilombolas com direitos que contemplem nossos territórios. Com muita luta, alguns quilombos conseguem furar esse bloqueio, exigindo o acesso às políticas públicas enquanto aguardam o processo de certificação. Ainda que caminhe a passos lentos, a certificação consegue ser mais rápida que os processos de titulações. Numa grande morosidade, em que territórios certificados podem demorar dezenas de anos até serem titulados, o Estado brasileiro se comporta como se tivesse nos fazendo um favor, como se fosse preciso bondade ou voluntarismo para cumprir a Constituição, que estabelece, sem margem para dúvidas, qual é seu dever.

De acordo com o Decreto nº 4.887/2003, o Incra é o órgão responsável por atribuir a titularidade aos territórios quilombolas. De posse da Certidão de Registro no Cadastro Geral de Remanescentes de Comunidades de Quilombos, emitida pela Fundação Cultural Palmares, cabe às comunidades interessadas encaminhar à Superintendência Regional do Incra dos seus respectivos estados uma solicitação de abertura do processo administrativo para a regularização de seus territórios.

Feito isso, o Incra realizará um estudo da área para a elaboração e a publicação do Relatório Técnico de Identificação e Delimitação (RTID) do território. Uma vez divulgado o relatório, o órgão analisará as possíveis contradições no documento que lhe forem comunicadas, para então aprová-lo e publicar uma portaria de reconhecimento delimitando publicamente o território quilombola. Então, uma vez aprovado esse relatório, o Incra publica uma portaria de reconhecimento que declara os limites do território quilombola.

Na fase seguinte é realizada a regularização fundiária, quando a área do território é demarcada e ocorre a desintrusão de não quilombolas que estejam instalados nos limites da comunidade. As áreas em posse de particulares serão desapropriadas, e aquelas em posse de entes públicos serão tituladas pelas respectivas instituições. Por fim, o título de propriedade é concedido ao quilombo e registrado em cartório, sem custos para a comunidade.[1]

No papel, é um processo impecável; na prática, é uma burocracia sem fim. A boa vontade política não existe e o racismo estrutural, que se ramifica nas instituições públicas, formatando o Estado e a sociedade brasileira, faz com que o exercício do direito seja vivido enquanto conflito imediato. Durante o processo, interpõem-se questionamentos ao direito de quilombolas em diferentes fases. A violência marca a disputa de interesses sobre os territórios, com mortes, ameaças, afastamento das lideranças do quilombo, restrições de direitos, entre outras consequências.

A luta quilombola pelo território é uma luta contra todas as faces do racismo institucional

O Brasil é um país que historicamente esconde ou camufla o racismo. Nos últimos anos as práticas racistas e seus autores (com nome, sobrenome e número de IP) têm sido cada vez mais expostos ao público. A denúncia constante do racismo e a visibilidade das práticas racistas são instrumentos de luta importantes; a visibilidade do racismo enquanto tema e denúncia é, contudo, ainda tímida para confrontar o racismo estrutural.

Atendendo a uma lógica extremamente capitalista, o racismo institucional tem se fortalecido dentro das estruturas do Estado brasileiro. É o racismo institucional que explica essa contradição: segundo a Constituição Federal, o Estado deveria nos proteger; no entanto, é um dos maiores violadores dos nossos direitos. A morosidade, a omissão sistemática, a falta de boa vontade política, a preservação dos interesses escusos de terceiros sobre os nossos territórios são faces de um racismo de Estado que nos impede o acesso a políticas públicas básicas, bem como protela por anos a fio o reconhecimento e a titulação dos quilombos.

A política para quilombos no Brasil passa a figurar no cenário nacional após a promulgação da Constituição de 1988. Iniciativas governamentais começam a ser desenvolvidas em meados dos anos 1990, tendo como marcos significativos a publicação do Decreto nº 4.778/2003, de 20 de novembro de 2003, e o Programa Brasil Quilombola, instituído no âmbito da Secretaria Nacional de Políticas de Promoção da Igualdade Racial (Seppir). Passos importantes mas insuficientes para eliminar de uma vez por todas as marcas deixadas por um longo e profundo abandono dos quilombos pelo poder público. Um avanço normativo importante foi a identificação dos quilombos tendo como elementos estruturais a territorialidade e o uso coletivo da terra, ocupada ancestralmente, de geração a geração.

Consideram-se remanescentes das comunidades dos quilombos, para os fins deste Decreto, os grupos étnico-raciais, segundo critérios de auto-atribuição [sic], com trajetória histórica própria, dotados de relações territoriais específicas, com presunção de ancestralidade negra relacionada com a resistência à opressão histórica sofrida.[2]

O trecho acima foi extraído do Artigo 2º do Decreto nº 4.887/2003. Emitido pelo então presidente Lula, esse decreto regulamenta o Artigo 68 do Ato das Disposições Constitucionais Transitórias da Constituição Federal de 1988, dispondo sobre o procedimento para a identificação, o reconhecimento, a delimitação, a demarcação e a titulação das terras ocupadas por remanescentes das comunidades dos quilombos. O decreto estabelece a base procedimental do direito quilombola ao território.

Por catorze anos, nós, quilombolas, vivemos sob a ameaça de os nossos direitos serem retirados à luz do dia, devido à Ação Direta de Inconstitucionalidade (ADI) nº 3.239/2004, movida pelo Partido da Frente Liberal (PFL), hoje Democratas (DEM), questionando a constitucionalidade do Decreto nº 4887. Em outras palavras, a ação no Supremo foi utilizada como ferramenta para nos manter reféns da ameaça de ilegitimidade dos nossos direitos. Em 8 de fevereiro de 2018, o Supremo Tribunal Federal garantiu a constitucionalidade do Decreto nº 4.887. Essa vitória foi um marco na luta pela terra no Brasil e na afirmação do direito ao território pelas comunidades negras rurais. Contudo, não basta a vitória jurídica se não há recursos empenhados pelo Poder Executivo para garantir que as titulações dos territórios aconteçam.

Os quilombos resistem há séculos à violência racista do Estado brasileiro e de agentes privados detentores do poder. A luta negra quilombola está representada nos quilombos que até hoje lutam por igualdade social, racial e de gênero. Acesso à terra, à água, à moradia, à educação, valorização da agricultura tradicional, proteção de defensoras e defensores de direitos humanos e salvaguarda das sementes e do meio ambiente são algumas das pautas de luta dos quilombos.

A resistência racista a essas lutas se materializa em violência e criminalização contra quilombolas. Segundo o relatório *Racismo e violência contra os quilombos no Brasil*,[3] elaborado pela Conaq e pela Terra de Direitos em 2018, de 2016 a 2017 houve um aumento de 350% nos assassinatos de quilombolas que lutam por seus direitos. O Estado brasileiro, por sua vez, não tem agido de forma satisfatória para apurar as responsabilidades dos crimes ocorridos; o que ele tem feito, a exemplo do pacote anticrime e genocida apresentado pelo ex-ministro da Justiça Sérgio Moro, é aumentar a vulnerabilidade da população negra perante a violência policial e potencializar as ameaças de criminalização da luta política e social, entre elas, da luta pela terra.

A negligência do Estado também é evidente na titulação dos territórios quilombolas. Segundo estimativa da Conaq e da Terra de Direitos, considerando o ritmo das titulações, o Estado brasileiro levaria mais de seiscentos anos para titular todos os quilombos do Brasil, considerando processos abertos no Incra e os território ainda não certificados; estimativa que deve aumentar, pois o cenário tem se agravado drasticamente.

Em seu primeiro dia de mandato, por meio da Medida Provisória nº 870, de 1º de janeiro de 2019, o presidente Jair Bolsonaro transferiu, no organograma institucional do Poder Executivo, o Incra da Casa Civil da Presidência da República para o Ministério da Agricultura (Mapa). Por sua vez, a Secretaria Especial de Assuntos Fundiários, alocada no mesmo Ministério, passou a coordenar os trabalhos do Incra, sob comando do presidente da União Democrática Ruralista (UDR) e notório opositor da política pública de titulação quilombola, Nabhan Garcia. É fundamental ressaltar que essa mudança administrativa se deu sem a realização de consulta livre, prévia e informada à população quilombola, diretamente implicada e afetada pelas mudanças, violando o Artigo 6º da Convenção 169 da Organização Internacional do Trabalho (OIT).⁴ Dessa forma, o que vemos hoje, depois dessa reorganização administrativa, é a vinculação da política pública de titulação de territórios quilombolas a um ministério cuja política hegemônica é pautada por setores do agronegócio historicamente contrários à efetivação da política de titulação de territórios quilombolas.

O Estado brasileiro não tem destinado orçamento minimamente adequado para a política de titulação de territórios quilombolas; ao contrário, a capacidade técnica e financeira do Instituto Nacional de Colonização e Reforma Agrária (Incra) e a subordinação da Autarquia ao Mapa, tem comprometido a realização eficaz desse trabalho. A Conaq tem conhecimento de que, em maio de 2016, existiam pelo menos 31 processos relativos à titulação de quilombos na Casa Civil da Presidência da República, aguardando apenas a assinatura do presidente da República de decreto declarando de interesse social, para fins de desapropriação, imóveis rurais abrangidos pelos territórios quilombolas à espera de titulação.

A recente medida do Governo Federal, que, pelo Decreto Federal nº 9.685, de 15 de janeiro de 2019, flexibilizou a compra e a posse de armas de fogo no Brasil, incluindo residentes de área rural, aponta, por seu turno, para a possibilidade de aumento da violência no campo contra quilombolas. Cabe ao Estado coibir a ação de serviços de pistolagem, a ação de jagunços e milícias, na tentativa de inibir os altos índices de violência no campo no Brasil.

Quilombos que têm vivenciado conflitos com as Forças Armadas em questões territoriais acumulam um histórico de violações de direitos humanos como a falta de acesso a políticas públicas, restrições no direito de ir e vir, limitações ao livre uso dos territórios, remoções etc. A situação de vulnerabilidade desses quilombos perante um Governo Federal cujos cargos de chefia têm sido significativamente ocupados por militares, da ativa ou aposentados, é maior. São exemplos de quilombos que vivem sob a tensão e conflitos territoriais com as Forças Armadas:

- Quilombo Rio dos Macacos, em Simões Filho, Bahia, que enfrenta um histórico conflito de disputa do território com a Marinha. Em julho de 2020, depois de mais de dez anos de luta, o povo desse quilombo assinou enfim o título que reconhece e transfere 97,83 hectares, de um total de 301,36, para a Associação dos Remanescentes de Quilombo Rio dos Macacos. A luta continua em relação à parte remanescente do território ainda não titulada.
- Quilombo Forte Príncipe da Beira, em Costa Marques, Rondônia, que há décadas convive com uma gestão conflituosa com militares do Exército em relação ao uso do território.
- Quilombo de Alcântara no Maranhão, que vive um histórico conflito e a ameaça de remoção forçada pela Força Aérea e a Agência Espacial Brasileira por causa da decisão de implementar e operacionalizar o funcionamento de centro espacial e lançamento de foguetes.
- Quilombo da Marambaia no Rio de Janeiro, que por anos gera disputa judicial e conflitos sobre acesso e uso do território com a Marinha.

Nossos territórios sofrem ainda com a especulação imobiliária e com os projetos de desenvolvimento, que alegam que nós atrapalhamos o progresso. Progresso este que mata, envenena e corta até sangrar nossos territórios para instalação de linhões de energia, construção de rodovias como a Transnordestina, entre outros empreendimentos que abalam nossos modos de vida e destroem tudo pela frente.

No território quilombola de Alcântara, no Maranhão, mais de oitocentas famílias serão expulsas para atender ao pedido dos Estados Unidos de utilizar a base espacial que mantêm no local. Em audiência pública realizada na Comissão de Direitos Humanos e Minorias da Câmara dos Deputados, em 10 de julho de 2019, Célia Cristina Pinto, coordenadora executiva da Conaq, expressou sua indignação:

> [...] Para nós discutirmos esse acordo, primeiramente precisamos discutir a titulação dos territórios, territórios étnicos, das comunidades quilombolas de Alcântara. Como é que nós vamos dialogar com o Estado brasileiro sobre uma área que nós secularmente ocupamos, cujo título de propriedade nós não temos? Que acordo nós poderemos fazer com o Estado brasileiro se nós não temos a propriedade, o título definitivo dessa área que habitamos secularmente? **Não é remoção, é expulsão**. Foi assim que aconteceu na década de 1980 e é assim que vai acontecer agora. E dizer que foram nas agrovilas, que perguntaram para as pessoas e elas disseram que estão mais felizes nas agrovilas do que lá no seu território de origem, isso não é verdade. Esse acordo que está sendo travado em Alcântara e muitos outros, de grandes empreendimentos que nós temos em outros territórios quilombolas, isso tem um nome, isso chama-se racismo institucional estrutural. Enquanto nós não quebrarmos a barreira desse racismo, nós, população negra, afrodescendentes, quilombolas, indígenas e qualquer outros povos e comunidades tradicionais, nós vamos estar à mercê. E eu quero concluir dizendo para os meus irmãos e irmãs quilombolas que aqui estão: nós existimos porque nós resistimos. E essa resistência que nós trazemos conosco é de nossa ancestralidade, é dos nossos territórios, é de lá que nós tiramos resistência, por isso não vão dizer que eu, morando em uma agrovila, estou mais feliz do que no meu território.

Nós, povo negro quilombola, lutamos há séculos contra o racismo, que impede o pleno desenvolvimento dos nossos quilombos. Por muitos anos nossa luta não contou com apoio do Estado brasileiro, pois era justamente quem respaldava e legalizava a exploração monstruosa de nossos corpos e de nosso trabalho por meio da nefasta escravização. Nós lutamos e conquistamos a falsa liberdade há 132 anos, mas ainda temos um longo caminho de resistência para que nosso povo possa viver em paz e com dignidade.

Infelizmente, o racismo colonialista forjado em mais de 350 anos de escravização ainda domina o Estado e impregna a mente e as ações das elites políticas e econômicas do nosso país. Mas quem rompeu os grilhões da escravização com a força do nosso povo não deixará de lutar, mesmo quando as condições se mostrarem adversas. A história de resistência de Acotirene, Tereza de Benguela, Zumbi, Dandara, Negra Anastácia, entre tantas outras lutadoras, é a força e a inspiração que nos leva a continuar lutando sempre.

Como ensina o nosso Mestre e poeta Nêgo Bispo, Antônio Bispo dos Santos, do Quilombo Saco-Curtume, em São João do Piauí:

> *Fogo!... Queimaram Palmares,*
> *Nasceu Canudos.*
> *Fogo!... Queimaram Canudos,*
> *Nasceu Caldeirões.*
> *Fogo!... Queimaram Caldeirões,*
> *Nasceu Pau de Colher.*
> *Fogo!... Queimaram Pau de Colher...*
> *E nasceram, e nasceram tantas outras comunidades que os vão cansar se continuarem queimando.*
> *Porque mesmo que queimem a escrita,*
> *Não queimarão a oralidade.*
> *Mesmo que queimem os símbolos,*
> *Não queimarão os significados.*
> *Mesmo queimando o nosso povo,*
> *Não queimarão a ancestralidade.*

Toda mulher negra é um quilombo

Historicamente, seguimos passos que vêm de longe, iniciados com Dandara dos Palmares, Anastácia, Aqualtune, Zeferina, Acotirene, Tereza de Benguela, Maria Aranha, Zacimba Gaba e tantas outras mulheres importantes para a continuidade da luta nos dias atuais. Essas são as legítimas representantes da luta das mulheres negras pela liberdade de seu povo. Elas almejaram não somente a liberdade, mas também uma sociedade livre de opressão e racismo, desafiando as estruturas machistas vigentes em diferentes períodos históricos e estimulando uma série de levantes populares no Brasil. Hoje somos desafiadas a continuar, lutando contra todas as formas de violência, opressão e violação dos nossos corpos e dos nossos direitos.

Nós, mulheres quilombolas, temos um papel de extrema importância nas lutas de resistência, pela manutenção e regularização dos nossos territórios. No quilombo ou na cidade, temos sido as guardiãs das tradições da cultura afro-brasileira, do sagrado, do cuidado, das filhas e filhos, das e dos griôs, da roça, das sementes, da preservação de recursos naturais fundamentais para a garantia dos direitos.

Nos quilombos, os valores culturais, sociais, educacionais e políticos são transmitidos às e aos mais jovens pela oralidade. A mulher quilombola tem um papel fundamental na transmissão e na preservação das tradições locais; na manipulação das ervas medicinais, no artesanato, na agricultura, na culinária e nas festas. São as mulheres quilombolas que desempenham um papel central, estabelecendo vínculos de solidariedade e transmitindo experiências.

Somos mantenedoras do legado cultural, da preservação das danças, das rezas, das ladainhas, dos contos, do manuseio do capim dourado, dos assentos religiosos, do modo de fazer a farinha, o beiju, os doces típicos dos quilombos. Tecemos os elementos forjadores da identidade cultural e política do quilombo e da representação da mulher negra quilombola: somos rezadeiras, raizeiras, benzedeiras, parteiras, coveiras, líderes comunitárias, representantes associativas, estudantes, profissionais de diferentes áreas de trabalho, integrantes e lideranças de movimentos, guardiãs dos santos e das bandeiras das manifestações culturais, entre tantos outros afazeres.

A maior parte dessas mulheres tem pouco estudo formal, principalmente as adultas e mais idosas, somente algumas saíram da comunidade para estudar na cidade. Num novo contexto, temos gerações mais novas de mulheres quilombolas frequentando cursos universitários de graduação, mestrado, doutorado, em diferentes áreas. Temos mulheres quilombolas advogadas, psicólogas, engenheiras navais e ambientais, entre outros muitos exemplos.

Enfrentando a fúria e as balas de fazendeiros e grileiros, por muitas vezes pagamos com a própria vida a defesa dos nossos territórios. Também assistimos a muitas das nossas e dos nossos tombarem no conflito agrário. Mesmo com toda a violência e com o acirramento dos conflitos, não nos intimidamos. Exercendo papéis ativos na sociedade, temos conquistado espaços importantes na elaboração e execução de políticas públicas com perspectiva de gênero, raça e geracional. Atuamos como secretárias de políticas públicas municipais e estaduais, coordenadoras de educação e igualdade racial, vereadoras, candidatas a deputadas estaduais e federais, professoras, pedagogas, assistentes sociais, modelos, antropólogas, médicas, entre outras frentes de luta.

Na labuta diária, temos formulado e apresentado nossas demandas em diferentes espaços, denunciando o racismo institucional, mobilizando o judiciário nacional e as cortes internacionais, lutando contra a invisibilidade, a marginalidade, a violência doméstica, sexual e psicológica.

Após a nossa participação expressiva na Marcha das Mulheres Negras em 18 de novembro de 2015, em Brasília, realizamos seis oficinas nacionais de mulheres quilombolas contra o racismo, a violência e pelo bem viver: em Cavalcante, território Kalunga (GO); no Quilombo Ribeirão da Mutuca, em Nossa Senhora do Livramento (MT); no Quilombo Tapuio, em Queimada Nova (PI); no Quilombo Alto Alegre, em Horizonte (CE); no Quilombo Maria Joaquina, em Cabo Frio (RJ) e no Quilombo Divino Espírito Santo, em São Mateus (ES). Com esses encontros, fortalecemos o coletivo de mulheres da Conaq, contribuindo para o empoderamento das coordenadoras locais do movimento.

Foram encontros sem assessoria externa, organizados e protagonizados por mulheres quilombolas. O mais impressionante resultado que tivemos foi a participação de várias coordenadoras, lideranças unidas para vencer o desafio de pautar a luta das mulheres quilombolas em um movimento composto por homens e mulheres. As oficinas foram emocionantes e nos permitiram perceber que, mesmo separadas por diferentes territórios, estados e municípios, a luta e a dor são as mesmas. Nós aprendemos muito com essas oficinas. Unidas somos mais fortes; afinal, quando uma sobe, puxa a outra!

Por outro lado, ter realizado as oficinas nos quilombos nos permitiu conviver e observar como se dão os processos de liderança a partir da base. As oficinas se tornaram assim oportunidade para debater questões de gênero na relação entre homens e mulheres. Foi também possível observar e discutir como nosso movimento está organizado sob a liderança de muitas mulheres. Nas palavras de Célia Cristina Pinto, coordenadora executiva da Conaq:

> As oficinas de mulheres estão sendo um marco para o movimento quilombola, pois vêm oportunizando criar um espaço de diálogo entre as mulheres para discutir as várias formas de violência sofrida por elas,

como também dar visibilidade às lutas das mulheres na garantia do território. Está sendo muito prazeroso participar destes momentos e escrever nossa história de luta e resistência.[5]

Segundo Rejane Maria de Oliveira, "a oficina trouxe o fortalecimento para a Conaq nesse momento tão tenso. Pois essa oficina trouxe o empoderamento às mulheres quilombolas. Antes a gente só assistia, e hoje a gente faz a oficina".[6]

Ter realizado uma oficina de mulheres quilombolas no Quilombo Ribeirão da Mutuca, em Nossa Senhora do Livramento, foi um ato simbólico de grande relevância no movimento de mulheres quilombolas. Trata-se do território de Tereza de Benguela, uma das maiores lideranças femininas negras quilombolas da história do Brasil. Nessa experiência, pudemos perceber como se conhece pouco da história das mulheres negras no Brasil, especificamente das quilombolas. Assim, conhecer e transmitir o conhecimento da sua história entre mulheres quilombolas é um gesto transgressor de transformação.[7]

A persistência do racismo institucional ou sobre como a mesma história vem sendo contada há 25 anos

Nesta seção, resgato a memória do I Encontro Nacional das Comunidades Negras Rurais Quilombolas, realizado em Brasília, de 17 a 20 de novembro de 1995. Nesse encontro, que ocorreu durante a Marcha Zumbi dos Palmares, foi criada a Comissão Nacional Provisória das Comunidades Rurais Negras Quilombolas, que depois daria lugar à Conaq.[8]

Ao resgatar essa memória, também é minha intenção homenagear, em vida, as mulheres fundadoras do nosso movimento, que se dedicaram à luta quilombola desde o início da articulação nacional – tendo sido pessoalmente responsáveis pelo engajamento de novas lideranças – e pavimentaram o caminho para que uma parte das nossas novas gerações chegassem a universidades e a outros espaços de tomada de decisão. Mulheres como Dona Procópia, Dona Getúlia e Ester, do Quilombo Kalunga, em Goiás; e Dona Terezinha, do Quilombo Mutuca, na Bahia.

Ao falarem como nossas fundadoras naquele momento, elas afirmaram a nossa capacidade de elaboração política e a consciência dos vários níveis de violência a que nossos quilombos estão expostos, reforçando que o movimento contava e conta com a nossa capacidade de exigir, resistir e prosperar ao longo dos anos. De 1995 para cá, quando lemos os seus relatos, percebemos que as formas de nos violentar, expropriar e violar continuam as mesmas – persiste o racismo institucional, manifestado em práticas e padrões de violência que nos desumanizam.

Já em 1995, Dona Procópia chamava a atenção para a aberração de práticas extrativas dos nossos dados e conhecimentos, muitas vezes apresentadas como pesquisas voltadas para a melhoria das nossas condições de vida. Em sua fala no evento, ela denunciou uma prática que até hoje acontece na academia e na sociedade civil em geral, a expropriação de nossos saberes em função de uma produção de pesquisa individualista e sem responsabilidade coletiva. Nas palavras de Dona Procópia: "Existem certas pessoas que vão a nossa comunidade obter informações (pesquisas) e depois não são capazes de nos ajudar no momento em que precisamos. Vão em nossas casas, tratamos bem, e o que ganhamos com isso? Quase nada, ou melhor, nada mesmo".

Essa é uma ação que precisa ser revista dentro de pactos éticos e metodológicos de responsabilidade perante a coletividade, que coloquem quilombolas como sujeitos de conhecimentos e titulares dos saberes.

Dona Getúlia, por sua vez, naquele momento nos ensinava que a reivindicação pelo título de propriedade das nossas terras não é uma demanda abstrata. A insegurança jurídica na posse do território leva-nos a uma vida de conflitos com falsos proprietários. Desde 1995, essa realidade de luta constante pela terra é grave não só pela violência envolvida, mas porque prejudica o nosso acesso a direitos básicos de sobrevivência, como trabalhar para garantir nosso sustento. "Não estamos encontrando o direito de recebermos a terra de herança do meu tataravô, bisavô, e hoje os netos do meu avô não estão encontrando o direito de trabalhar na terra. A fazendeira não aceita que os próprios donos da terra trabalhem para seu próprio sustento", denunciou Dona Getúlia, do Quilombo Kalunga.

Neste nosso primeiro encontro, realizado em Brasília, essa realidade também foi relatada por Ester Fernandes, do Quilombo Kalunga: "Quando eu era criança, conheci a minha terra criando gado. Depois de 1970 para cá, os grileiros tomaram toda a terra e a nossa comunidade ficou quase sem nada. O que queremos é o título definitivo da terra. Temos os fazendeiros que jogam capim na terra para seus gados e a gente fica impossibilitado de trabalhar na pouca terra que nos restou".

Representando o Quilombo Mutuca, na Bahia, nesse encontro 25 anos atrás, Dona Terezinha abordou outro ponto nevrálgico nas discussões em torno da realidade dos povos quilombolas. Explicou didaticamente o impacto dos projetos de desenvolvimento e de grandes obras nos direitos humanos básicos da população quilombola. A ideia de desenvolvimento que vem com essas grandes obras, para o povo que vive no território, significa perda das poucas condições e das parcas políticas públicas a que têm acesso. Segundo o seu relato:

> Fizeram uma barragem e ficamos todos prejudicados, a nossa comunidade perdeu a posse da terra, a empresa tomou toda a nossa documentação, os nossos pais não conheciam os nossos direitos e não tiveram orientação sobre a documentação que nos favorecia. Algumas comunidades vizinhas têm alguma coisa, mas nós não temos nada. Temos

aproximadamente oitenta crianças, não temos escola. Uma comunidade a oito quilômetros de distância tem energia elétrica, e elas deram várias voltas para não passar energia pela nossa comunidade.

Esses testemunhos das nossas fundadoras também demonstram que a luta quilombola se sustenta na capacidade do nosso povo de enfrentar violências, superar perdas e reinventar-se. Em nome de tantas mulheres quilombolas privadas de sua liberdade, ameaçadas de morte, por todas aquelas que tombaram na luta, que tiveram seu sangue derramado pelo conflito agrário ou pela violência doméstica; em nome de cada menina que nasce, em nome de cada mulher que assume o papel transformador em uma sociedade racista, machista, patriarcal, é que existimos e resistimos. Por nós e pelos nossos quilombos recarregamos as energias para continuar escrevendo o nosso destino nas páginas dos livros, contando as histórias de mulheres quilombolas e nos empenhando por igualdade, justiça, terra e nenhum quilombo a menos.

Notas

[1] A exposição do processo administrativo de titulação realizado pelo Incra foi adaptada do site da Secom-UFG, disponível neste endereço: https://secom.ufg.br/n/49108-termo-de-cooperacao-entre-incra-e-ufg-beneficia-cinco-territorios-quilombolas-em-goias. Acesso em: 10 set. 2020.

[2] BRASIL. **Decreto nº 4.887, de 20 de novembro de 2003**. Regulamenta o procedimento para identificação, reconhecimento, delimitação, demarcação e titulação das terras ocupadas por remanescentes das comunidades dos quilombos de que trata o art. 68 do Ato das Disposições Constitucionais Transitórias. Disponível em: http://www.planalto.gov.br/ccivil_03/decreto/2003/d4887.htm. Acesso em: 20 ago. 2020.

[3] Conaq e Terra de Direitos. **Racismo e violência contra quilombos no Brasil**. Curitiba: Terra de Direitos, 2018. Disponível em: https://terradedireitos.org.br/uploads/arquivos/(final)-Racismo-e-Violencia-Quilombola_CONAQ_Terra-de-Direitos_FN_WEB.pdf. Acesso em: 5 ago. 2020.

[4] A Convenção 169 foi ratificada pelo Brasil em 2002 pelo Decreto Legislativo nº 143 do Senado Federal, tendo sido incorporada ao ordenamento jurídico brasileiro pelo Decreto nº 5.051 de 2004.

[5] Trecho extraído do Relatório da Oficina de Mulheres Quilombolas realizada em agosto de 2016 no Quilombo Mutuca, em Nossa Senhora do Livramento, no Mato Grosso.

[6] Ibid.

[7] No século 18, Tereza de Benguela (conhecida como "Rainha Tereza") liderou, em uma estrutura que incluía uma espécie de Parlamento, o Quilombo de Quariterê, no Mato Grosso. Em uma das versões sobre sua morte, Tereza de Benguela teria sido capturada por soldados em 1770; no entanto, os acontecimentos em torno desse episódio permanecem incertos. Para essas e mais informações ver: https://www.geledes.org.br/tereza-de-benguela-uma-heroina-negra/.

[8] Em 1996, durante o Encontro de Avaliação do I Encontro Nacional de Comunidades Negras Rurais Quilombolas, realizado em Bom Jesus da Lapa, na Bahia, a Comissão Provisória deu lugar à Coordenação Nacional de Articulação das Comunidades Negras Rurais Quilombolas (Conaq), constituída como movimento social.

Quando uma mulher quilombola tomba, o quilombo se levanta com ela

COLETIVO DE MULHERES DA CONAQ

O coletivo surgiu atendendo à necessidade das mulheres quilombolas de discutirem especificidades intrínsecas a suas vivências enquanto quilombolas, e definirem ações direcionadas às suas demandas. Integram o coletivo mulheres de todas as partes do Brasil, comprometidas com uma diversidade de pautas, que abrangem desde a reivindicação da titularidade dos territórios quilombolas e políticas afirmativas até a preservação das práticas ancestrais de seus povos e a discussão de questões de gênero em suas comunidades e o racismo.

CONAQ
Coordenação Nacional de Articulação das Comunidades Negras Rurais Quilombolas

EM 2011, NO IV Encontro Nacional da Conaq, no Rio de Janeiro, foi decidida a realização do I Encontro Nacional de Mulheres Quilombolas, que veio a ocorrer em 2014, em Brasília. Desde este primeiro evento, o coletivo tem trabalhado ativamente nas deliberações políticas e tomadas de decisões pertinentes para as mulheres quilombolas dentro do movimento. Em 2015, o movimento de mulheres quilombolas foi fortalecido em suas alianças com a participação na coordenação executiva da Marcha das Mulheres Negras, ocorrida em 18 de novembro de 2015. De 2016 a 2018 foram realizadas seis oficinas nacionais de mulheres quilombolas contra o racismo, a violência e pelo bem-viver; mais de mil mulheres participaram diretamente das oficinas. Desde então, o coletivo de mulheres da Conaq[1] tem colaborado e reforçado encontros e atividades de mulheres negras em diferentes localidades em todo o País.

As mulheres quilombolas têm assumido a tarefa de estabelecer um intenso diálogo contra a violência nos quilombos do Brasil, pautando suas especificidades e a conjuntura atual, que torna essa violência mais frequente e evidente. Nossa busca é apontar desafios dessa luta, focando sobretudo nas mulheres quilombolas.

Não é de hoje que os direitos das mulheres, que lutam com seu corpo em defesa de seus territórios, são invisibilizados. Atualmente vemos a formação de um cenário preocupante de retrocesso dos direitos dos povos quilombolas, dentro de uma ideologia conservadora e fascista que tem encontrado ecos em nível mundial. Essa crise, que além de tudo é econômica, implica ainda maior exploração e violação da vida das mulheres quilombolas. Nos últimos anos, temos observado o aumento de várias formas de violências contra elas: feminicídio, sobrecarga de trabalho, retirada de direitos sexuais e reprodutivos, aumento da informalidade do trabalho. Esse contexto tende a piorar com a crise social reforçada pela epidemia do coronavírus e o pacote de reformas que vem sendo promovido pelo Estado. Pesará de forma injusta e desproporcional sobre as mulheres negras, em especial as do campo, não só as consequências da crise, mas também as soluções que serão implementadas pelo Estado para superação dos problemas e recuperação da economia.

Infelizmente, as violências sofridas pelas mulheres quilombolas não têm diminuído, muito pelo contrário, elas seguem se multiplicando e se diversificando. A luta pelo território cumpre um papel central na reivindicação de direitos dos povos quilombolas, pois do território depende o exercício de diversos direitos fundamentais, como o acesso à educação escolar quilombola, livre uso e preservação da sociobiodiversidade, o direito à produção agrícola tradicional e o direito à cultura etc. A liderança das mulheres quilombolas, por sua vez, é central na luta política pelo território, na medida em que sustenta, protege e desenvolve o principal elemento de sustentação do quilombo: a coletividade.

É no contexto da luta pelo território que a violência contra as defensoras quilombolas se produz, na forma de ameaças explícitas, calúnia e difamação, além de intimidações aos familiares. Essas práticas de violência impactam não só essas mulheres, individualmente, mas também a coletividade do quilombo, uma vez que pretendem desestabilizar a liderança, a comunidade e consequentemente a luta por direitos.

No Brasil, vigora uma estratégia institucional velada de prolongar indefinidamente os processos de titulação dos territórios, associada à restrição de recursos orçamentários. Assim, além de impedir o exercício de diversos direitos diretamente relacionados aos territórios, a morosidade injustificada do processo de titulação perpetua o contexto de violência a que são submetidos os quilombos e suas defensoras.

É, por isso, urgente e necessário que os quilombos sejam ouvidos, que suas pautas sejam acolhidas e que medidas sejam tomadas para que se respeitem os processos de titulação e os direitos territoriais dos povos quilombolas, sob pena de alimentarmos um ciclo extenso de violências e vulnerabilidades sociais.

Os crimes cometidos contra quilombolas são ainda marcados pela impunidade. São alarmantes, sobretudo, os casos de feminicídio. Casos em que mulheres quilombolas vítimas de violência tiveram suas vidas ceifadas, como Francisca Chagas, quilombola de Joaquim Maria, no Maranhão, assassinada em 2016, e de Maria Trindade, do Quilombo Moju, no Pará, assassinada em 2017, necessitam de resposta eficaz e célere do Estado para se estancar o ciclo de violência. Mulheres quilombolas em posição de liderança têm vivido sob perseguição política, ameaças de morte e processos criminais ilegítimos com o objetivo de intimidar sua luta. Trata-se de um contexto acirrado de violência com consequências graves para a saúde física e emocional das defensoras de direitos humanos quilombolas.

O avanço de empreendimentos, obras, projetos de desenvolvimento (como portos e ferrovias), especulação imobiliária (construção de condomínios e *resorts*) sobre os territórios quilombolas e a presença de militares em determinados quilombos têm historicamente restringido o livre exercício de direitos.

São muitos os exemplos de empreendimentos que geram conflitos sobre a propriedade, o acesso à terra, o uso e a preservação dos territórios, comprometendo a autonomia dos quilombos e sua sobrevivência: a instalação da base espacial de Alcântara, a duplicação da Rodovia BR 135 e a construção de linhão de energia, afetando inúmeros quilombos no Maranhão; os projetos de construção das pequenas centrais hidrelétricas em diferentes territórios de quilombos como Kalunga, em Goiás, e Invernada Paiol de Telha, no Paraná; projetos de ferrovias e portos, ameaçando os quilombos Contente e Barro Velho, em Paulistana, no Piauí (construção da ferrovia Transnordestina) e os de Santarém no Pará (construção de portos no Lago do Maicá); projetos de construção de usina nuclear, em quilombos como Negros de Gilú,

Poço dos Cavalos e Ingazeira, em Itacuruba, Pernambuco; a expansão do agronegócio, impactando quilombos como Invernada dos Negros, em Campos, Santa Catarina; projetos de construção de empreendimentos imobiliários, como os que têm afetado o Quilombo de Mesquita. É preciso também assinalar o impacto de crimes ambientais cometidos por empresas, como o sofrido por quilombolas da região de Brumadinho, em Minas Gerais, com o rompimento da barragem da Vale, em janeiro de 2019.

Essa ofensiva contra os direitos e a vida das mulheres quilombolas, seja por meio de iniciativas do Estado, seja pelo interesse de expansão econômica de atores privados, é orquestrada por dois conjuntos de violações fundamentais de direitos dos povos quilombolas. O primeiro decorre da denegação do direito ao título definitivo de propriedade do território. O segundo refere-se ao descumprimento do direito à consulta de povos quilombolas, em total desacordo com o compromisso assumido pelo Estado brasileiro na Convenção da Organização Internacional do Trabalho nº 169, de 1989. Nesse ponto, a violação de direitos é cúmplice da morosidade na titulação dos territórios quilombolas, dos cortes orçamentários e da baixa execução do orçamento para assegurar os processos de titulação, bem como dos rearranjos administrativos que atravancam as políticas de regularização dos quilombos. Ressalte-se aqui as mudanças operadas pela Medida Provisória nº 870/2019 e pela Instrução Normativa nº 1/2018 da Fundação Cultural Palmares, que trata de processos administrativos de licenciamento ambiental de obras em comunidades quilombolas.

São condições preliminares para que as instituições do Estado admitam as mulheres quilombolas como sujeitos de direito:

- medidas governamentais para garantir a proteção de mulheres quilombolas;
- medidas efetivas contra os crimes violentos cometidos contra quilombolas;

- uma política eficaz de defesa das mulheres quilombolas contra a violência doméstica e outras formas de violência de gênero;
- medidas efetivas para coibir o discurso racista, em especial das autoridades públicas, e o discurso de ódio contra quilombolas;
- garantia da continuidade e da celeridade na titulação dos territórios quilombolas e o direito de Consulta Prévia, Livre, Informada e de Boa Fé dos povos quilombolas, com transparência e acesso à informação.

Em defesa dos nossos territórios, da luta e da reivindicação por mais visibilidade e direitos, e em defesa das vidas de quilombolas, que têm sido ceifadas em todo o Brasil, as mulheres quilombolas têm atuado em diferentes contextos para afirmar: **vidas quilombolas importam!**

Nota

[1] Fazem parte do coletivo de mulheres da Conaq: Ana Carolina Fernandes, Ana Maria Cruz, Andreia Nazareno, Célia Cristina da Silva, Edna da Paixão Santos, Érica Monteiro, Geisiane Paula Pacheco, Greice Martins, Ingrede Dantas, Isabela da Cruz, Kátia dos Santos Penha, Laura Ferreira, Maria Aparecida Sousa, Maria Rosalina dos Santos, Maria do Socorro Fernandes, Nilce Pontes, Rejane Maria de Oliveira, Sandra Maria da Silva Andrade, Sandra Pereira Braga, Selma dos Santos Dealdina, Vercilene Francisco Dias e Valéria Carneiro.

Mulheres quilombolas: afirmando o território na luta, resistência e insurgência negra feminina

GIVÂNIA MARIA DA SILVA

Mulher quilombola de Conceição das Crioulas, no Salgueiro, em Pernambuco. É educadora quilombola, graduada em Letras e especialista em Programação de Ensino e Desenvolvimento Local Sustentável. Mestra em Políticas Públicas e Gestão da Educação pela Universidade de Brasília, é doutoranda do curso de Sociologia da mesma universidade. Membro fundadora da Conaq, atuou como coordenadora de regularização fundiária dos territórios quilombolas no Instituto Nacional de Colonização e Reforma Agrária e foi secretária nacional de Políticas para Comunidades Tradicionais da Secretaria de Políticas de Promoção da Igualdade Racial do Governo Federal.

Para começo de conversa

O Brasil é um dos países que estendeu por mais tempo a condição de Estado escravocrata. Esse processo atravessou mais de três séculos e deixou marcas que ainda lesam a população negra. Mesmo que exista a ilusão de que vivemos em um país livre da escravidão, da colonização e do racismo, devido a mitos consolidados no imaginário social como a democracia racial, o projeto de nação brasileira tem raízes profundas na dominação de um povo (o povo branco) sobre outros povos (negros e índios). Tal realidade é facilmente identificada nos dados da desigualdade abissal entre os negros e índios e os não negros e não índios no Brasil. Nesse cenário, as mulheres encontram-se em uma posição ainda mais vulnerável comparativamente, acumulando ainda os danos de uma sociedade racista e patriarcal. É considerando esse contexto que este artigo faz uma provocação, mesmo que inicial, sobre as teorias do feminismo negro e o lugar de fala das mulheres quilombolas, com o objetivo de contribuir para o debate sobre a condição dessas mulheres.

Os aspectos da dominação e da colonização manifestam-se de formas e por meios diversos: nos produtos e meios de comunicação, nas oportunidades e composição do mercado de trabalho, no acesso a instituições de ensino públicas e privadas, e nas desigualdades entre estudantes em níveis de aprendizagem, oportunidades de saídas profissionais e espaços de representação, entre outros. Outra manifestação explícita da colonialidade são as desigualdades entre negros e não negros, a quantidade de riquezas produzidas pelas mãos escravizadas de homens e mulheres africanos e, posteriormente, por seus descendentes, acumuladas pelo grupo racial hegemônico (brancos e brancas).

Falo aqui de riqueza num sentido amplo, considerando tanto bens materiais quanto bens imateriais. Um exemplo é o acesso a conhecimentos produzidos no Brasil e usufruto dos resultados por eles gerados; determinados grupos são destinatários privilegiados dos benefícios a partir de uma repartição desigual do conhecimento. Esse exemplo é emblemático, ao constatarmos que, até os dias de hoje, todos os espaços e possibilidades construídas para aquisição e usufruto dos conhecimentos não apresentam perspectiva de inclusão igualitária do povo negro. As mulheres negras sofrem esse processo de exclusão de forma ainda mais acentuada, o que se reflete nos dados sobre índices de analfabetismo, inserção precária no mercado de trabalho e desnível salarial em relação a membros de outros grupos, sub-representação ou falta de representação em espaços de tomada de decisão.

No caso dos quilombos, tais questões se aprofundam, uma vez que outros aspectos devem ser contemplados, como as questões territoriais fundiárias e ambientais, o direito à propriedade, o modelo de desenvolvimento, ou mesmo a invisibilidade que foi imposta durante séculos aos quilombos. Lembramos que somente na Constituição Federal de 1988 foi incluída a nomenclatura "remanescentes das comunidades dos quilombos",[1] considerando quilombolas sujeitos detentores de direitos e apontando a necessidade de o Estado não apenas reconhecer esses territórios, mas titulá-los definitivamente, o que tem gerado debates intensos e tensos até os dias de hoje. Na esteira da Constituição de 1988, outros direitos foram sendo debatidos e assegurados, como saúde, educação, assistência social, desenvolvimento, entre outros, constituindo-se o que podemos chamar de direitos quilombolas, que, devido à discriminação estrutural que impacta historicamente nosso povo, devem ser amparados a partir de medidas eficazes de ações afirmativas.

Nesse debate temos visto questões relevantes que têm sido pouco discutidas. Refiro-me à presença e à atuação das mulheres quilombolas nos seus respectivos territórios. Chama a atenção o fato de as mulheres quilombolas assumirem em seus territórios papéis significativos para a manutenção da luta. Desde a época dos navios negreiros até os dias atuais. Mesmo assim, pouco se sabe ou ainda são muito escassos os registros sobre o papel central das mulheres na constituição e na manutenção da vida política e cultural do quilombo. As mulheres quilombolas atuam como um acervo da memória coletiva; com elas estão registradas as estratégias de luta e resistência nos quilombos, os conhecimentos guardados e repassados de geração em geração. São diferentes formas de produção de conhecimento, através de uma diversidade de saberes, incluindo conhecimentos tradicionais e científicos. Dentre os papéis que desempenham está o de guardiãs da pluralidade de conhecimentos que emergem e são praticados nos territórios quilombolas.

Apesar disso, as mulheres quilombolas permanecem sendo ignoradas nos debates teóricos, incluindo as teorias feministas, ocupando uma posição de invisibilidade seja pelo total desconhecimento das suas especificidades, seja porque essas teorias ainda não são facilmente transpostas para o universo delas.

Mulheres, territórios quilombolas e seus significados

A palavra "significado" aqui reúne e amplia a importância do termo e seu sentido descrito nos dicionários. De acordo com o dicionário, o verbete "significado" remete a: "relação de reconhecimento, de apreço; valor, importância, significação, significância. Definição atribuída a um termo, palavra, frase, texto; acepção. Aquilo que alguma coisa quer dizer; sentido". Aqui, a definição de "significado" contempla ainda o que não foi visto, dito, escrito e que, apesar de parecer sem sentido, tem sentido para quem busca, vive, sente e pertence. Na perspectiva usada, "significado" não quer dizer ausência do ser, ao contrário: "é fazer sentido de ser".

É nessa tentativa que nos deparamos com as contradições das teorias que buscaram incluir na agenda ou construir uma agenda com base nas questões de gênero, do feminismo, ou mesmo do mulherismo ou quilombismo, com o objetivo de compreender a diversidade da realidade de mulheres. Emprestam-se significados, procuram fazer sentido de ser, por meio de conceitos, as realidades que têm sido ignoradas, ou mesmo desconhecidas, como é o caso das mulheres quilombolas. Como resultado, para essas mulheres alguns conceitos elementares aos feminismos não correspondem ao seu sentido de ser e estar no mundo. É importante ressaltar que não estou propondo um rompimento com o conceito de feminismo ou de feminismo negro, mesmo porque ainda não temos outros que os substituam. Trata-se sobretudo de trazer para o debate as lacunas que existem quando, de forma hegemônica ou única, definem-se por meio de uma única perspectiva as lutas de mulheres negras de diversas partes do mundo, e com pertencimentos igualmente diversos.

Como já afirmou Sueli Carneiro, em sua pioneira convocação para "enegrecer o feminismo",[2] e Jurema Werneck,[3] as lutas das mulheres negras não podem ser circunscritas às discussões do feminismo branco, pois nascem de outras bases. As questões relativas a mulheres quilombolas não estão contempladas pelo feminismo branco tampouco, em parte, pelo feminismo negro. Se considerarmos certas especificidades e suas relações com elementos simbólicos, como por exemplo os territórios, a cura, a relação com a sociobiodiversidade; a influência dos lugares, das regiões geográficas, dos biomas; a relação com a religião e aspectos culturais de forma mais ampla, vamos perceber que ainda há ausências de abordagens teóricas que aproximem as discussões correntes dos feminismos à realidade das mulheres quilombolas. Levar em conta esses aspectos ao considerar a perspectiva de gênero na realidade quilombola é relevante porque são esses elementos somados que influenciam a construção de uma identidade racial e de gênero no quilombos e acabam por ordenar bandeiras de lutas e estratégias de enfrentamento para determinadas questões (e por que não dizer para todas?).

Quais são os significados das lutas de gênero ou do feminismo para uma mulher urbana? E para uma mulher negra, urbana e quilombola? Seria a mesma lógica? A vida no meio rural é a mesma do meio urbano? Que valores urbanos são comuns ao mundo rural? Não estou afirmando que as mulheres quilombolas urbanas tenham perdido o seu sentido do ser, nem que as mulheres negras em geral não tenham pautas comuns às mulheres quilombolas. Apenas reflito sobre esses dois mundos, rural e urbano, e as perspectivas de gênero, que por si só se dividem e levam consigo ou constroem para si seus próprios significados. Mesmo no meio rural, existem várias ruralidades, assim como existem várias urbanidades, ou seja, formas diferentes de viver esses dois mundos.

Portanto, pensar esses mundos, rural e urbano, dialogando com as mulheres, exige primeiramente evitar a armadilha da produção de uma teoria única. Compactuar, mesmo que inadvertidamente, com um pensamento totalizante e hegemônico revela uma tentativa de produzir um Outro a partir da visão de mundo de quem detém o poder e o acesso a bens materiais e imateriais, tendo em mãos a prerrogativa de classificar e hierarquizar o resto com base em um olhar dominante sobre a cultura, as crenças, as localidades, as práticas religiosas, entre outros aspectos.

Estou de acordo com o pesquisador Alberto Gutiérrez Arguedas quando afirma que "o conceito de território oferece muitas possibilidades teóricas e políticas para compreender esses complexos processos de reorganização social que estão em curso no mundo todo".[4] Buscar caminhos que levem mulheres negras, quilombolas, jovens negras e negros, indígenas, a compreender o que representam seus territórios em suas vidas e vice-versa pode ser estratégico para que outras vozes ecoem, dessa vez pronunciando-se por si mesmas.

A discussão promovida aqui também não pretende criar guetos entre as quilombolas e as demais mulheres negras, mas sim reconhecer sua diversidade e então construir possibilidades para tratar de forma ampla as questões que envolvem as mulheres negras e em particular, as mulheres negras quilombolas.

As mulheres negras são exploradas de diversas formas.[5] Uma delas é pelo seu pertencimento racial, outra, pelo gênero. São obrigadas, em muitos momentos, a pagarem com seu corpo e sua vida o preço do machismo e do racismo somado em uma única conta. E quando, depois de muitos anos e por muita pressão dos movimentos sociais negros, o Estado brasileiro começa a dar sinais de progresso adotando políticas públicas que minimizam os danos por ele mesmo causados e propondo ações afirmativas, aqueles que detiveram seus privilégios graças ao sistema escravista reagem com vigor. Basta observarmos as manifestações contrárias e os discursos de ódio proferidos contra as cotas nas universidades públicas, o processo de titulação dos territórios quilombolas e indígenas ou a existência de políticas específicas para as mulheres, citando apenas alguns exemplos. Muitas dessas ações, tão veemente criticadas, não chegaram ainda a impactar de forma significativa a vida de muitas mulheres negras.

Certamente muitas lacunas ficaram em aberto e algumas questões foram tratadas ainda sem a devida profundidade neste texto. A intenção era instigar, provocar reflexões e trazer para o campo sociológico questões que considero relevantes, embora ainda carentes de discussões mais aprofundadas, como a forma de as mulheres quilombolas lidarem com sua identidade e como, a partir desse processo, lutam contra o racismo, o machismo e pelo direito a políticas públicas.

Se cumprida a tarefa de instigar a reflexão, minha intenção foi alcançada – pelo menos por ora, pois reitero que é necessário amadurecer essas questões mais pausadamente. Reforço ao final a importância do debate em torno desses temas, para que possamos contribuir para dar visibilidade a corpos e ouvir vozes historicamente silenciadas e subalternizadas, as vozes das mulheres negras e quilombolas. Esse movimento poderá motivar esses corpos a se apresentarem e se anunciarem com suas vozes, lançando mão de suas próprias especificidades e agências. Finalizo afirmando que não podemos deixar de buscar significados emancipatórios e descolonizadores de corpos e mentes, rompendo com os conceitos e teorias que sustentaram e ainda sustentam a supremacia branca, masculina e eurocêntrica, pois são elas que impedem que a construção de uma sociedade mais justa e solidária seja um sonho de todas e todos e busca de muitos.

Notas

[1] O Artigo 68 do Ato das Disposições Constitucionais Transitórias diz, na íntegra, que: "Aos remanescentes das comunidades dos quilombos que estejam ocupando suas terras é reconhecida a propriedade definitiva, devendo o Estado emitir-lhes os títulos respectivos".

[2] Carneiro, Sueli. Mulheres em movimento. **Estudos Avançados**, São Paulo, v. 17, n. 49, p.117-133, 2003. Disponível em: http://www.scielo.br/scielo.php?script=sci_arttext&pid=S0103-40142003000300008&lng=en&nrm=iso. Acesso em: 6 ago. 2020.

[3] Werneck, Jurema. De ialodês e feministas: reflexões sobre a ação política das mulheres negras na América Latina e Caribe. **Nouvelles questions féministes**: Revue Internationale Francophone, 2005, v. 24, n. 2.

[4] Arguedas, Alberto Gutiérrez. Identidade étnica, movimento social e lutas pelo território em comunidades quilombolas: o caso de Acauã (RN). **GEOgraphia**, Niterói, 2017, v.19, n. 39: p. 72.

[5] Sobre as diversas formas de exploração das mulheres negras, ver Gonzalez, Lélia. Racismo e sexismo na cultura brasileira. **Ciências Sociais Hoje**, Anpocs, 1984, Brasília, p. 223-244. Disponível em https://edisciplinas.usp.br/pluginfile.php/4584956/mod_resource/content/1/06%20-%20GONZALES%2C%20L%C3%A9lia%20-%20Racismo_e_Sexismo_na_Cultura_Brasileira%20%281%29.pdf Acesso em: 6 ago. 2020. Ver também Collins, Patricia Hill. Em direção a uma nova visão: raça, classe e gênero como categorias de análise e conexão. In: Moreno, Renata (org.). **Reflexões e práticas de transformação feminista**. São Paulo: SOF, 2015. Disponível em: http://www.sof.org.br/wp-content/uploads/2016/01/reflex%C3%B5esepraticasdetransforma%C3%A7%C3%A3ofeminista.pdf. Acesso em: 6 ago. 2020.

"Saindo do quarto escuro": violência doméstica e a luta comunitária de mulheres quilombolas em Conceição das Crioulas

MARIA APARECIDA MENDES

Mulher quilombola de Conceição das Crioulas, em Salgueiro, Pernambuco. É bacharela em Serviço Social pela Universidade de Guarulhos e mestre em Sustentabilidade Junto a Povos e Terras Tradicionais pela Universidade de Brasília. É ativista do movimento quilombola.

HISTORICAMENTE, PARA SUPERAR AS dificuldades provocadas pelo abandono ou pela presença repressora do Estado, a população negra se vê na obrigação de criar alternativas de enfrentamento. Nesse cenário, as mulheres quilombolas assumem a postura de grandes protagonistas em defesa dos direitos coletivos constantemente violados, sendo aguerridas nesse propósito. Em muitos casos, essas mulheres têm de enfrentar graves violências interpessoais, sejam em espaços domésticos ou públicos.

Meu nome é Maria Aparecida Mendes, nasci em fevereiro de 1971 em uma comunidade chamada Sítio Areia, um dos pequenos aglomerados do território quilombola de Conceição das Crioulas, localizado no II Distrito de Salgueiro, sertão central pernambucano. Filha de Maria da Natividade Mendes e João Francisco Mendes, mãe de Ana Claudia Mendes da Silva, avó de Anandha Mendes da Silva Mendonça e casada com José Aparecida da Silva. Sou a segunda de nove irmãos, cinco homens e quatro mulheres, com os quais dividi a minha infância, brincando e ao mesmo tempo cuidando, já que eu era a mais velha entre as mulheres. Quando a minha mãe não estava trabalhando como diarista nos roçados de outras pessoas, ela estava coletando umbu (planta nativa do sertão nordestino) para vender e garantir o complemento do sustento familiar, por isso tinha pouco tempo para conviver com a gente.

A minha avó materna foi a pessoa adulta com quem eu e meus irmãos mais convivemos, o que justifica o imenso carinho que temos por ela. Os momentos passados com ela foram muito importantes para o nosso crescimento pessoal; estávamos sempre em volta de nossa avó nas tarefas do dia a dia, e ela aproveitava para nos contar as histórias que ouvia dos mais velhos. Nessas horas todos silenciavam para escutar, só se abria a boca para fazer perguntas sobre o assunto, e assim, desde muito cedo, aprendemos bastante sobre a nossa história e a do território, só não tínhamos a oportunidade de fazê-la ir além dos limites da comunidade.

A preocupação em contar a história de nossa comunidade foi se tornando cada vez mais uma missão pedagógica, de valorização e compartilhamento da nossa vivência e experiência entre as diferentes gerações de Conceição das Crioulas. Além dos meus irmãos, tive a oportunidade de conviver com minhas primas e meus primos que, pelas mesmas razões, também ficavam com nossa avó.

Na nossa comunidade, a infância vivida nas décadas de 1970 e 1980 foi pouco influenciada pelas propagandas televisivas. Fazíamos nossos próprios brinquedos, e para isso lançávamos mão do que a natureza nos oferecia. A cerâmica era usada para moldar nossos utensílios, os frutos de umbu verde serviam para fazer comidinhas, as flores de mandacaru e os sabugos de milho eram as bonecas, as flechas de macambira eram os cavalos de pau, as sementes de pereiro transformavam-se em galinha-da-guiné. Como os demais moradores do quilombo, meus avós paternos e maternos trabalhavam na roça e na "coleta de frutos no mato" (como nos referimos ao "extrativismo vegetal"), profissão que foi seguida pelos filhos e filhas.

Nossa comunidade está localizada em uma região do semiárido marcada pela escassez das chuvas e, historicamente, pelo descaso da maioria dos governantes. Desde a década de 1950, a produção comunitária deixou de ser suficiente para suprir todas as necessidades; com isso, muitas famílias, incluindo a minha, se submetiam ao exercício da atividade agrícola como diaristas dos fazendeiros da região, em terras que antes pertenciam aos nossos ancestrais. De modo geral, o pagamento pelos serviços era feito com produtos alimentícios, numa prática que hoje seria caracterizada como trabalho escravo – trabalhávamos durante toda a semana para no sábado recebermos milho e feijão. E por mais que trabalhássemos durante semanas inteiras seguidas, as contas nunca fechavam. Meu pai não podia cuidar do próprio roçado porque tinha de priorizar o chamado do fazendeiro, para pagar as dívidas com a sua própria mão de obra.

De acordo com os relatos orais atualmente sistematizados por várias autoras e autores – como as pesquisadoras quilombolas Givânia Silva e Maria Diva Rodrigues[1] –, o território quilombola de Conceição das Crioulas foi fundado por volta do final do século 18, por iniciativa de um grupo de mulheres negras que chegaram livres à região. Trata-se, portanto, de uma comunidade que se apresenta nas narrativas como fundada sob liberdade. A população local ainda guarda na memória o nome de algumas das fundadoras: Francisca Ferreira, Mendencha Ferreira, Francisca Presidenta, Francisca Macária, Romana e Antônia Carneiro. As seis mulheres crioulas que ali chegaram àquela época plantaram algodão e transformaram a sua lã em artesanato, que foi comercializado na cidade de Flores, também localizada em Pernambuco. Com o saldo das vendas conseguiram efetuar o pagamento das "seis léguas em quadras", como contam muitas pessoas do território fazendo menção à escritura datada de 1802. Essa é a área equivalente a aproximadamente 18 mil hectares batizada como Conceição das Crioulas, em referência às características raciais dessas mulheres e à devoção à santa.

Conforme apontam João José Reis e Flávio Gomes,[2] no período em que a escravização do povo negro era permitida pela Lei, os locais de difícil acesso eram estratégicos para a segurança de quem conseguia escapar dos desmandos de fazendeiros. Entretanto, construiu-se a leitura equivocada de que os quilombos eram lugares completamente isolados. Conceição das Crioulas foi um desses lugares de acolhimento a que os autores se referem. No entanto, a própria forma como o território foi adquirido evidencia que a comunidade surgiu fundamentalmente pela interação (a comercialização da lã nas localidades circunvizinhas), e não no isolamento.

Em uma sociedade capitalista alicerçada no sistema patriarcal, os negros, as mulheres e as crianças são as maiores vítimas dos desdobramentos das desigualdades sociais. Sueli Carneiro[3] aponta que as mulheres em geral lutam para combater as violações de direitos manifestadas pela violência doméstica e a desigualdade salarial entre homens e mulheres. A autora evidencia os desafios enfrentados pelas mulheres negras – por vezes dentro do próprio movimento feminista – para que suas especificidades, a dimensão étnico-racial do seu reconhecimento e suas demandas particulares sejam compreendidas. Quando essas demandas não são consideradas, contribui-se para a manutenção das injustiças raciais, hierarquizando relações inclusive entre as próprias mulheres.

Em outras palavras, o movimento feminista clássico não leva em consideração as especificidades das mulheres negras, e com isso, apesar das boas intenções, perdura uma injustiça epistêmica que impossibilita um diálogo equitativo. Nesse sentido, há de se levar em conta também que a mesma crítica que mulheres negras fazem ao feminismo clássico começa a ser formulada por mulheres quilombolas em relação a mulheres que vivem em contextos urbanos. Mulheres quilombolas têm apontado para o perigo de uma visão de tipo tutelar que lhes é dirigida, gerando igualmente injustiça epistémica, por impedir que se reconheça mulheres quilombolas, na sua autonomia, como produtoras de conhecimentos igualmente válidos, mas singulares, oriundos da vivência em contexto comunitário, em profunda ligação com o território e com as marcas que carregamos de nossa ancestralidade negra.

Há ainda muito que se discutir nesse âmbito, e avançar nessa reflexão é imprescindível, em especial quando nos colocamos a serviço de debates acerca da violência contra mulheres. Leituras que parecem inequívocas para mulheres em outros contextos se confundem e perdem eficácia quando tratadas em contextos comunitários tradicionais, como a ideia, aparentemente consensual, de que as políticas devem acolher as mulheres e o homem agressor deve ser estritamente punido. Minha experiência enquanto quilombola demonstra que para nós não há a possibilidade de apenas expurgar o homem – mesmo reconhecendo-o como o agressor –, visto que eles são parte de nossas comunidades, já bastante fragilizadas em suas existências político-sociais.

Apesar de a população negra ser a mais vulnerável a violações de direitos, é preciso desconstruir a ideia romantizada de que os quilombos estão isentos de conflitos internos. O povo quilombola não está isolado em um universo à parte. Ainda que de forma injusta, estamos inseridos no mesmo sistema patriarcal capitalista, cujas relações influenciam e afetam a todos nós.

Sem a pretensão de desconsiderar a luta cotidiana das mulheres em geral, minha intenção neste texto é dar visibilidade às estratégias de superação acionadas por mulheres quilombolas diante da violência doméstica, trazendo à tona algumas singularidades. Ao iniciar a pesquisa, algumas perguntas foram ganhando força: as mulheres que são lideranças quilombolas passaram ou passam por algum tipo de violência doméstica? Como relacionar as estratégias de combate à violência doméstica com as estratégias de luta em defesa dos direitos da coletividade e do território? A aplicabilidade da Lei 11.340/2006, a Lei Maria da Penha, tem contribuído para prevenir e punir a violência doméstica nas comunidades negras rurais?

Em minha comunidade, as mulheres protagonizam a luta em defesa do território desde a formação do Quilombo de Conceição das Crioulas. Identificamos que muitas dessas lideranças passam por situações de violência doméstica e percebemos que elas adotam a luta em defesa dos direitos coletivos ao território como estratégia de autofortalecimento e de apoio mútuo para a superação coletiva dos dilemas pessoais. Seguindo o legado de nossas ancestrais, as mulheres do quilombo continuam sendo as principais guardiãs e transmissoras dos conhecimentos de geração para geração. Além disso, engajam-se em papéis fundamentais para a comunidade, como realizar a articulação com outros segmentos sociais empenhados na luta pela efetivação dos direitos humanos e participar das coordenações das escolas e associações. Essas mulheres estão inseridas nos conselhos de direitos desde 1995, e é crescente o número de quilombolas crioulas ocupando espaços na universidade. Pela luta em defesa do território e com o respaldo das políticas públicas e sociais para toda a comunidade, elas se fortalecem coletivamente para superar dilemas pessoais, inclusive a violência doméstica, que atinge muitas quilombolas.

Mulheres quilombolas sempre transitaram entre os espaços públicos e privados, exercendo as mais variadas funções que possibilitassem a subsistência de suas famílias, como a venda de frutos nativos e a comercialização de comida pronta – práticas comuns para muitas mulheres de Conceição das Crioulas. Cresci acompanhando minha mãe cuidar de seus plantios no fundo da casa – que hoje identifico como um quintal produtivo – e praticando o extrativismo, principalmente do umbu. Assim ela garantia o complemento alimentar e financeiro da família, prática aprendida com a minha avó, que, por sua vez, aprendeu com aquelas que vieram antes dela.

Esse conhecimento, que vem sendo transmitido de geração em geração, chega à atualidade e constitui o patrimônio cultural do nosso povo. O extrativismo constituiu-se inclusive numa forma de manter as articulações estratégicas com outras populações negras e segmentos sociais diversos, como indígenas e trabalhadores que não habitam ou atuam em comunidades tradicionais. As características aqui descritas dialogam com a realidade apresentada por Cecília Soares[4] sobre as atividades das mulheres escravizadas que ocupavam a função de vendedoras ambulantes nas ruas de Salvador, na Bahia, as chamadas "mulheres ganhadeiras", no século 19. Esse trabalho complementar exercido pelas ganhadeiras exerceu um papel político de articulação e resistência entre as mulheres e colaborou com processos de libertação de escravizados naquele período.

A história de garra e luta das nossas antepassadas nos enche de orgulho, nos inspira e nos encoraja a dar continuidade à luta iniciada há mais de dois séculos. No entanto, o olhar exótico da sociedade sobre essas mulheres crioulas, assim como sobre outras mulheres negras, reforça a imagem imposta a elas "de mulheres fortes", que tudo suportam, inclusive a violação de direitos fundamentais como educação, saúde, oportunidades de trabalho digno etc.

Certamente o ativismo é uma atividade que exige muita doação, grande envolvimento afetivo, e nem sempre resulta em conquistas, e sim em expectativas frustradas. Nós, mulheres quilombolas, somos guerreiras, sim, mas sentimos dores, mágoas e podemos adoecer com as adversidades enfrentadas. Concordo com Sueli Carneiro[5] quando afirma que as características aparentemente positivas atribuídas às mulheres negras são extremamente violentas, porque nos privam do direito de expor fragilidades, dores, desejos e sentimentos.

De fevereiro a outubro de 2018, conduzi entrevistas com mulheres quilombolas de minha comunidade que ocupam importantes espaços de decisão política e de defesa dos direitos humanos. No entanto, a maioria relata ter sofrido diversos tipos de violência doméstica – atualmente tipificada como crime pela Lei Maria da Penha – e que, por medo, vergonha de expor a si mesma e o agressor (geralmente o marido, o filho ou o irmão), por descrença e pela necessidade de confirmar "a reputação de mulher forte" viam-se obrigadas a manterem-se em silêncio.

A Lei Maria da Penha e as alternativas comunitárias de combate à violência doméstica: o caso de Conceição das Crioulas

As mulheres compreendem que a Lei nº 11.340, de 7 de agosto de 2006, conhecida como Lei Maria da Penha, é um instrumento legal extremamente importante na defesa dos nossos direitos, entretanto, como argumenta Fabiana Mendes, uma das lideranças do Quilombo de Conceição das Crioulas, em entrevista concedida à autora em 2018:

> nenhuma lei tem eficácia por si só se os profissionais que recebem a atribuição de aplicar este instrumento não estiverem sensíveis à causa e não passarem por um processo de formação adequado para lidar com a situação. A mulher que ousa buscar proteção nas instituições oficiais vai sofrer ainda mais violação de direitos, tendo como diferença apenas o violador, que no caso passa a ser diretamente o Estado.

A professora Rosilda Coutinho, da Comunidade Kalunga, minha colega no mestrado profissional em Sustentabilidade Junto a Povos e Territórios Tradicionais – MESPT, da Universidade de Brasília, conta que, ao se mudar para a cidade de Goiânia, casada com um não quilombola, pai do seu único filho, sofreu inúmeras situações de violência, que somente vieram a público em 2010, quando foi esfaqueada pelo marido e por pouco não perdeu a vida. Rosilda procurou a delegacia para que providências fossem tomadas, no entanto seu relato deixa evidente a enorme decepção que sentiu na ocasião em que teve de lidar com os trâmites formais de registro da ocorrência:

> [...] a gente foi pra delegacia e fez todo o boletim de ocorrência. Dias depois, a gente retornou lá pra saber como dar andamento ao processo. Eles já tinham puxado toda a ficha dele e disseram o seguinte para nós: [...] ele ia doar seis meses de cesta básica para uma instituição. Eu falei: "Gente, não acredito que estou ouvindo um negócio desse!" [...] Eu fiquei chocada com aquilo, [...] meu pai quase teve um treco, minha mãe, todo mundo ficou revoltado com aquele negócio! Aí, o que acontece... isso foi em Goiânia, *né*. Eu precisei ir embora logo, não quis nem saber de ficar lá, vim embora. Aí o povo [...] da delegacia ficou me ligando pra dar continuidade ao processo! Quem ia ganhar a cesta básica não era

nem eu, que fui atingida! Eu que não vou voltar lá mais, quisessem até anular o processo, podia. Por conta disso [...] eu tinha que ir lá umas três vezes no mínimo em Goiânia, eu, meu pai e minha mãe: três pessoas pagando do bolso. E aí eu decidi que não ia. Meu pai falou: "Minha filha, o que você decidir tá decidido". Eu não vou correr atrás disso, não vai valer a pena, larguei todo o processo pra lá.[6]

O caso de Rosilda retrata o de muitas mulheres que, na tentativa de obter proteção do Estado em resposta aos crimes de que foram vítimas, em vez de terem o direito efetivado, se tornam vítimas de outras formas de violação de direitos. É importante ressaltar que esse tipo de postura institucional lesa gravemente a Lei Maria de Penha, principalmente o que ela estabelece no Artigo 10, que trata das providências que devem ser tomadas pelas autoridades policiais. No relato de Fabiana Venceslau também vemos esse desrespeito à Lei, quando ela menciona o total despreparo dos profissionais que lidam com as vítimas de violência.

Nossa falta de conhecimento ou entendimento da legislação é mais um fator que nos prejudica. Há um grande risco de que a Lei Maria da Penha seja interpretada de maneira distorcida e transformada em letras obsoletas ou mesmo em munição para aqueles tencionam destruir os poucos instrumentos legais favoráveis a vítimas de violência – instrumentos que em nossas mãos poderiam ser de absoluta relevância na luta pelos direitos de mulheres.

Em um primeiro momento, as mulheres quilombolas de Conceição das Crioulas identificam o ciúme de seus companheiros e o consumo de bebidas alcoólicas como os principais motivadores das violências que sofrem. Mas quando aprofundamos os debates coletivos, evidencia-se que a maioria das mulheres tem consciência de que o comportamento dos agressores é uma decorrência do sistema patriarcal. Observando além das tentativas de explicar e justificar as agressões – em relatos que invertem causas e consequências, que ignoram as questões estruturais –, percebemos que as violências são, na verdade, ocasionadas pela naturalização e o consentimento a posturas obedientes a uma lógica machista e opressora. Essa naturalização está calcada em uma identidade masculina forjada sob um tipo esperado de masculinidade, o qual posiciona o homem em um lugar de comando na casa e reprime tudo o que ameaça destituí--lo dessa posição. Há, portanto, um comportamento que se retroalimenta entre os homens, ensinados desde crianças a agir de modo autoritário e impositivo com suas companheiras. Não conseguiremos combater a violência doméstica em contextos comunitários se não pensarmos estratégias educativas que ensinem aos homens que outras masculinidades são possíveis e legítimas.

Em estudo dedicado às mulheres quilombolas de Castainho, em Garanhuns (PE), Roseane Amorim da Silva e Marilyn Dione de Sena[7] chegam à conclusão de que o alcoolismo é a principal causa da violência doméstica. As autoras apontam que a convivência com o companheiro alcoólatra, somada à ausência de suporte do poder público, em geral leva as mulheres a uma situação de vulnerabilidade tão grave que elas acabam considerando recorrer ao consumo de drogas. Nas suas palavras: "O uso abusivo de álcool por parte do parceiro, em alguns casos, é o fator desencadeante das agressões, assim como existem mulheres que, por sofrerem a violência de gênero, sem saber como e onde procurar socorro, iniciam a ingestão de álcool e outras drogas".[8]

As minhas observações vão em outra direção. Mulheres quilombolas de Conceição das Crioulas têm buscado alternativas para o enfrentamento e o combate à violência que sofrem cotidianamente, sobretudo recorrendo à coletividade. O apoio da família, a articulação com outras mulheres que passam por situações semelhantes, diálogos com as pessoas idosas, o retorno aos estudos, a participação na luta em defesa dos direitos coletivos e comunitários são importantes estratégias que têm contribuído para o fortalecimento e o encorajamento na luta contra esse tipo de opressão.

Coletar frutas, lavar roupas, produzir artesanato, participar de mutirões geralmente são atividades realizadas de forma coletiva. São momentos em que as mulheres têm a oportunidade de trocar de saberes, expor seus dilemas individuais, pensar possibilidades de proteção comunitária, inclusive contra o machismo exacerbado dos homens, que querem ter domínio absoluto sobre o corpo delas. O conjunto de medidas adotado pelas mulheres de Conceição das Crioulas dialoga com o conceito que Julieta Paredes cunhou, observando a ação das mulheres de povos originários na Bolívia, como "feminismo comunitário";[9] um feminismo que se pretende ser de qualquer mulher, em qualquer luta que ela desenvolva, dentro da sua condição, para se contrapor ao patriarcado.

À medida que as mulheres quilombolas, nessas trocas coletivas, encontram alternativas de superação à violência, fica claro como seus métodos se distanciam dos adotados pelos órgãos governamentais para solucionar os mesmos problemas. Torna-se possível compreender por que as providências oficiais não resolvem as situações de violência pelas quais as mulheres passam.

Fabiana Venceslau relata a experiência de discutir o problema da violência doméstica coletivamente, nos instigando a refletir sobre a importância do método:

> Parece que, quando você tá na situação de violência, é como se não existisse o mundo fora daquilo. A mulher se isola, ela se envergonha, enfim. É como se a autoestima dela passasse a não existir, e ela [...] se tornasse um lixo mesmo. Então, quando você tá na situação de violência e opressão, você não consegue ver, é como se estivesse dentro de uma bolha e não conseguisse sair. Enfim, é como se estivesse num quarto escuro, onde não conseguisse enxergar nada. E aí, a partir do momento em que

você vai pra uma reunião, aí vai saindo para outra, e mais outra, seja lá qual tema for [...] ela vai te abrindo os caminhos, vai, tipo, iluminando aquele quarto escuro em que você está quando sofre essa violência. Então, participar de qualquer atividade coletiva e que ocupe sua mente, que ocupe sua cabeça [...] é como se abrisse novos horizontes. Você vai vendo um monte de caminhos assim. [...] Quanto mais você entra nesses caminhos, mais vai se libertando daquele mundo. Então, a luta pelo território, a questão da educação, todas as coisas... é como se você fosse ocupando sua mente e vendo que há outras possibilidades além daquilo que você vive.[10]

O depoimento de Fabiana sugere que o combate à violência doméstica requer muito cuidado e estratégias, que participações nas atividades comunitárias são importantes instrumentos para enfrentar os traumas, porque valorizam o papel da mulher, elevam a autoestima e a encorajam a enfrentar as situações de violência vividas. Na fala das mulheres, praticamente não há informações sobre os tipos de violência doméstica que ocorriam no passado. No entanto, é na luta protagonizada, a princípio pelas primeiras crioulas que ali chegaram, que elas encontram motivação para superarem seus dilemas do dia a dia. Esse tipo de organização é descrito de maneira aproximada por Nah Dove, ao tratar de mulheres africanas:

> No que pareceu ser um paradoxo, essas mulheres nem odiavam, nem se separavam desses homens. Pelo contrário, aquelas que tinham filhos, por exemplo, reconheciam as suas responsabilidades com seus filhos. Elas temiam pela sobrevivência de seus filhos e pela segurança dos homens africanos que vivem sob supremacia branca. Elas queriam que seus filhos fossem destemidos e que respeitassem as mulheres. Para ser fiel a seus sentimentos, foi exigido que eu não apenas usasse suas palavras para contar suas histórias, mas desenvolvesse uma teoria de base cultural que pudesse ser sensível às suas experiências como mulheres africanas.[11]

Na opinião das mulheres entrevistadas, as providências oficiais meramente punitivas não promovem a mudança de atitude dos homens, mas sim acirram os conflitos. Nesse ponto elas estão de acordo com as mulheres africanas mencionadas por Dove (1998). Para as entrevistadas, é necessário haver investimento contínuo em ações educacionais que provoquem mudanças no comportamento dos homens, e como justificativa elas trazem várias razões, como por exemplo a descrença nos procedimentos apenas punitivos, a localização das instituições públicas, distantes das comunidades, a crença no poder do diálogo etc.

A pesquisa me trouxe a certeza de que as mulheres quilombolas são importantes colaboradoras na luta em defesa da causa quilombola – e nessa luta elas estabelecem alianças para superar as dificuldades. As famílias, as comunidades e as próprias mulheres encontram-se unidas no combate à violência doméstica, entretanto o que se evidencia em seus relatos é que, durante os anos da vigência da Lei Maria da Penha, o Estado ainda não mostrou atuação satisfatória e condizente com o que é estabelecido na legislação para abarcar a diversidade de situações de mulheres que vivem em situação de violência.

Portanto, é importante fortalecer e angariar parcerias visando ampliar o público envolvido na luta em defesa dos direitos das mulheres, estabelecer aproximações com setores do Ministério Público e Defensoria Pública comprometidos com os interesses da mulher e das causas sociais gerais. É importante encontrar estratégias de diálogo sobre as demandas referentes à atuação no enfrentamento à violência de gênero. Não podemos nos calar diante de posturas agressivas que resultam em assassinatos de mulheres simplesmente pelo fato de serem mulheres. Todas as medidas precisam ser tomadas em caráter de emergência para que possamos reverter um quadro que se agrava dia após dia.

Notas

1. Ver Silva, Givânia Maria da. **Educação e luta política no Quilombo de Conceição das Crioulas**. 1. ed. Curitiba: Apris. 2016. Ver também Rodrigues, Maria Diva da Silva. **Política de nucleação de escolas**: uma violação de direitos e a negação da cultura e da educação escolar quilombola. Dissertação de Mestrado em Desenvolvimento Sustentável, Universidade de Brasília, Brasília, 2017.
2. Gomes, Flávio dos Santos; Reis, João José (orgs.). **Liberdade por um fio**: história dos quilombos no Brasil. São Paulo: Companhia das Letras, 1996.
3. Carneiro, Sueli. Mulheres em movimento. **Estudos Avançados**, 2003, São Paulo, v. 17, n. 49, p.117-133. Disponível em: http://www.scielo.br/scielo.php?script=sci_arttext&pid=S0103-40142003000300008&lng=en&nrm=iso. Acesso em: 6 ago. 2020.
4. Ver Soares, Cecília Moreira. As ganhadeiras: mulher e resistência negra em Salvador no século XIX. **Afro-Ásia**, Salvador, 1996, n. 17, p.57-71. Disponível em: https://portalseer.ufba.br Acesso em: 20 fev. 2019.
5. Carneiro, Sueli. Sobrevivente, testemunha e porta-voz. **Revista Cult**, 2017, São Paulo. Disponível em: https://revistacult.uol.com.br/home/sueli-carneiro-sobrevivente-testemunha-e-porta-voz/. Acesso em: 3 ago. 2018.
6. Entrevista de Rosilda Coutinho realizada em fevereiro de 2018.
7. Silva, Roseane Amorim da; Leal, Marilyn Dione de Sena (2012). Mulheres quilombolas: em contextos de violência de gênero e uso abusivo de álcool. In: Encontro Nacional da rede Feminista Norte e Nordeste de Estudos e Pesquisa sobre a Mulher e Relações de Gênero, 17., 2012, João pessoa. **Anais** [...] João Pessoa: Universidade Federal da Paraíba, 2012. Disponível em: http://www.ufpb.br/evento/index.php/17redor/17redor/schedConf/presentations. Acesso em: 5 jul. 2002.
8. Id., Ibid., p.5-6.
9. Paredes, Julieta. El feminismo comunitario: la creación de un pensamiento propio. **Corpus**, 2017, v. 7, n. 1. Disponível em: http://corpusarchivos.revues.org/1835. Acesso em: 4 jul. 2017.
10. Depoimento concedido por Fabiana Venceslau em entrevista realizada em fevereiro de 2018.
11. Dove, Nah. Mulherisma africana: uma teoria afrocêntrica. Tradução: Wellington Agudá. **Jornal de Estudos Negros**, 1998, v. 28, n. 5, p. 4. Disponível em: https://estahorareall.files.wordpress.com/2015/11/mulherisma-africana-uma-teoria-afrocecc82ntrica-nah-dove.pdfAcesso em: 18 ago. 2020.

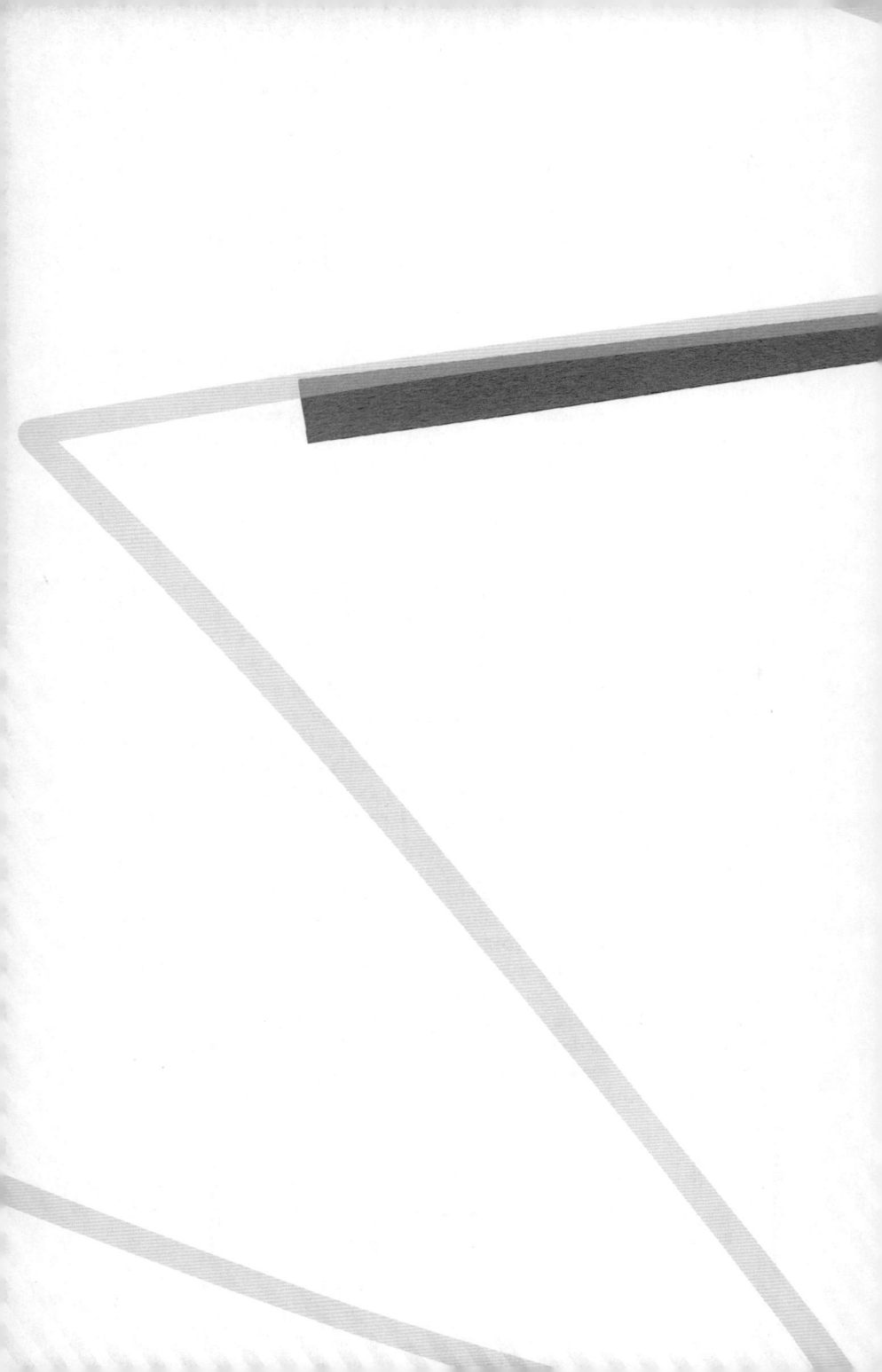

Eu Kalunga: pluralismo jurídico e proteção da identidade étnica e cultural quilombola

VERCILENE FRANCISCO DIAS

Mulher quilombola do Vão do Moleque, Território Kalunga, em Cavalcante, Goiás. Mestre em Direito Agrário pela Universidade Federal de Goiás, é graduada em Estudo Internacional em Litígio Estratégico em Direito Indígena pela Pontifícia Universidade Católica do Peru. Atua como advogada popular na Conaq e na Terra de Direitos.

HÁ ALGUNS ANOS, SE alguém dissesse que eu era uma Kalunga, no mesmo instante eu negaria com veemência. A negação da identidade quilombola era algo normal na comunidade Kalunga, uma forma de proteção contra certos estigmas sociais – pois o quilombo continua a ser estigmatizado socialmente, assim como, no passado, a própria ideia de quilombo era considerada criminosa pela sociedade escravista. Na lógica escravista, o quilombo era visto como um aglomerado de criminosos contra a sociedade, e escravizados que se reunissem em uma comunidade de negros para lutar contra as opressões do sistema sofriam duras penas. Devemos lembrar que a referência popular ao termo "Kalunga" na nossa região, num passado não muito distante, era sinônimo de algo menor, mau; o kalungueiro era desprezível e pequeno, alvo de chacotas por onde passava. Essa caracterização nos fragilizava, nos tornando alvos fáceis.

O processo de afirmação e valorização da identidade Kalunga, na esfera coletiva ou individual, concedeu-nos poder, liberdade e autonomia. Agora é possível dizer que nos afirmamos como um povo diferente, com construção identitária própria, que está fincada na territorialidade que nos foi negada. Uma territorialidade que nosso povo Kalunga construiu ao longo dos anos na nossa terra, entre morros, num território que se estende às margens do rio Paranã e seus afluentes. No território Kalunga as noites são claras, iluminadas pelas estrelas, numa calmaria profunda que só é rompida pela voz das águas do rio, que ressoa a cada respirar, a cada canto de pássaros e a cada passo dos animais no terreiro de casa.

Vale aqui ressaltar a importância do reconhecimento de pertencimento ao Quilombo Kalunga. Infelizmente, hoje a afirmação da identidade negra e quilombola é alvo de oportunistas que, para se beneficiarem de políticas públicas de ação afirmativa, mentem sobre pertencer a esses grupos que permaneceram historicamente à margem do sistema jurídico e social do país.

Cabe à comunidade e ao sistema jurídico tomar providências para coibir esse tipo de oportunismo que, ao mesmo tempo que trata a comunidade como fronteira a ser colonizada, se utiliza da classificação "quilombola" para obter acesso a oportunidades, benefícios financeiros ou políticos, prática crescente nos territórios quilombolas nos dias de hoje.

Discutir o pertencimento e o reconhecimento Kalunga tanto do ponto de vista cultural, quanto do ponto de vista jurídico, é um passo fundamental para impedir ações oportunistas que, ao afirmarem pertencer ao quilombo, não trazem nos corpos e na história os danos da exclusão social sistemática destinada às populações quilombolas no país.

Critérios de reconhecimento do pertencimento à comunidade quilombola Kalunga

Os critérios para reconhecer o pertencimento quilombola no Brasil não costumam ser discutidos no universo jurídico. Note-se que a Constituição de 1988, no Artigo 68 dos Atos das Disposições Constitucionais Transitórias (ADCT), não definiu quem seriam os "remanescentes das comunidades dos quilombos", quando lhes assegurou o direito à terra que ocupavam. Em outras palavras, a Constituição, ao dispor sobre um direito, não identificou de forma precisa quem são seus destinatários. Não se definiu quem seriam os quilombolas, os quilombos ou a comunidade/território quilombola, tampouco foram estabelecidos critérios de identificação dessas comunidades ou de seus membros. Assim, ficou uma lacuna a ser preenchida pela integração do ordenamento jurídico, a partir de um viés socioantropológico, cultural e consuetudinário, que implica tanto a análise do pertencimento em nível individual e subjetivo, quanto o reconhecimento e a autonomia do coletivo em relação à identidade quilombola.

Por sua vez, a Convenção Relativa aos Povos Indígenas e Tribais em Países Independentes da Organização Internacional do Trabalho (OIT), Convenção nº 169, de 7 de junho de 1969, da qual o Brasil é signatário, determina a quais sujeitos são aplicados seus dispositivos:

> povos tribais em países independentes cujas condições sociais, culturais e econômicas os distingam de outros setores da comunidade nacional e cuja situação seja regida, total ou parcialmente, por seus próprios costumes ou tradições ou por uma legislação ou regulações especiais.[1]

Nesse sentido, um dos critérios imprescindíveis para definir quais grupos se adéquam às disposições da Convenção é a autoidentificação como tribal ou indígena.[2]

Em 2003, há o advento do Decreto nº 4887, de 20 de novembro, que regulamenta o procedimento para identificação, reconhecimento, delimitação, demarcação e titulação das terras ocupadas por remanescentes das comunidades quilombolas de que trata o Art. 68 do Ato das Disposições Constitucionais Transitórias, da Constituição de 1988.

O decreto, na mesma linha da Convenção nº 169 da OIT, deixa a cargo das comunidades quilombolas a definição dos critérios de reconhecimento do pertencimento, cabendo-lhes atestar se determinado indivíduo pertence ou não à comunidade. O parâmetro para reconhecer o pertencimento de um indivíduo à comunidade/território étnico será o modo de ser e viver de seus membros; portanto, será reconhecido como pertencente à comunidade aquele que se mostrar integrado aos costumes quilombolas.

Se o critério para reconhecer o pertencimento quilombola decorre da prática social fincada nos costumes, a preocupação em proteger a cultura e a unidade social dos quilombos é central para sua manutenção ao longo dos anos. Paralelamente, esse critério se configura em um direito personalíssimo e intransferível do indivíduo de garantia de gozo do direito comum de pertencer ao grupo social, com o qual se identifica e do qual descende. Por outro lado, o caráter personalíssimo do direito de pertencimento protege a comunidade da ação de aproveitadores.

Já a autodeclaração é vista como um instrumento precário pela comunidade. Na prática, a comunidade não aceita o simples ato de a pessoa declarar-se Kalunga como critério de pertencimento, segundo dispõe o Decreto nº 4.887/2003, e exige que se perfaça um processo de comprovação do pertencimento ao povo Kalunga que se dará nas seguintes fases:

1º Passo: A autodeclaração Kalunga inicia uma série de trâmites de investigação genealógica.

2º Passo: A pessoa declarante deve apresentar um estudo genealógico da família, indicando quem eram seus familiares Kalungas (se houver mais de um), além de informar se ainda moram na comunidade (ou onde moraram).

3º Passo: Além do estudo genealógico, é necessário apresentar uma declaração assinada por três lideranças da região afirmando o pertencimento da pessoa declarante ao quilombo e atestando ascendência Kalunga dela e de seus familiares.

4º Passo: A apresentação do documento é feita ao presidente líder comunitário da associação; o documento é analisado por um conselho responsável por emitir a declaração final de que a pessoa declarante pertence à comunidade quilombola Kalunga.

Somente após cumpridas com êxito todas essas fases, a pessoa solicitante passa a ser considerada titular de todos os direitos e obrigações de qualquer quilombola Kalunga. Havendo suspeita de qualquer tipo de fraude ou outra irregularidade, o processo será suspenso ou extinto e a pessoa declarante denunciada, podendo ser responsabilizada administrativa, civil e penalmente por falsas declarações.

É importante destacar que o estabelecimento de critérios para a declaração da identidade faz parte de valores coletivos latentes e enraizados na coletividade, consolidados como prática costumeira no território Kalunga. Logo, é imprescindível uma análise jurídica acerca da valoração desses critérios, a fim de se compreender, na perspectiva do direito, o valor, a validade, a incorporação/apropriação dessa aferição de reconhecimento do pertencimento dentro do sistema jurídico formal hegemônico.

Para além da autodeclaração, o Decreto nº 4.887/03 dispõe também sobre a possibilidade da autodefinição, que corresponde à caracterização da comunidade por ela própria, segundo o parágrafo 1º do Art. 2º do referido Decreto.

O critério de autodeclaração foi um dos principais elementos contraditados na Ação Direta de Inconstitucionalidade (ADI) nº 3.239 proposta pelo Partido da Frente Liberal (PFL), atual Democratas (DEM), em 2003, contra o Decreto Presidencial nº 4.887/03, que teve sua constitucionalidade confirmada em fevereiro de 2018 pelo Supremo Tribunal Federal. Na ação, argumentava-se que o critério de autodeclaração era frágil, pois qualquer indivíduo poderia se declarar quilombola. Todavia, na prática, há um rito imposto pela própria comunidade a fim de coibir a usurpação de sua identidade/territorialidade, baseado sobretudo na ancestralidade do indivíduo, que é avaliada durante as etapas do procedimento de reconhecimento do pertencimento, sendo, ao final, atestada pela associação da respectiva localidade.

Ultrapassando as questões inerentes à realização do procedimento em si, o reconhecimento do pertencimento de indivíduos ao quilombo tem efeitos em outras situações cotidianas. No caso das pessoas nascidas na comunidade Kalunga e que nela vivem, por exemplo, não há necessidade de comprovação de pertencimento ou ascendência, pois a história desses indivíduos, a vivência e a trajetória dentro do território evidenciam, por si só, seu pertencimento ao quilombo. As pessoas nascidas no território quilombola são assim dispensadas do processo de reconhecimento e têm acesso aos benefícios e às políticas públicas destinadas ao povo Kalunga. O mesmo se aplica às pessoas nascidas na comunidade mas não residentes, aquelas que se afastaram em busca de melhorias para si e para o quilombo e mantiveram vínculos familiares na comunidade. Esses indivíduos, porém, não têm acesso a todas as políticas, pois algumas são destinadas apenas a residentes da comunidade.

Há ainda o caso das uniões entre não quilombolas e quilombolas, um caso mais delicado para o qual já se encontrou uma solução. É consenso na comunidade que o cônjuge ou convivente não quilombola não adquire a identidade Kalunga e goza de direitos elementares, como o de morar e usar o território para o sustento próprio e o de sua família. Esses direitos vigoram apenas enquanto existir a união. Em caso de separação, as normas costumeiras do povo Kalunga trazem critérios que se aplicam à partilha dos bens, de acordo com o regime de casamento escolhido pelos cônjuges ou da união estável. Os filhos advindos da união de quilombola com não quilombola terão os mesmos direitos e deveres de qualquer outro quilombola Kalunga.

Há inúmeros outros exemplos de casos que prescindem de reconhecimento do pertencimento pela comunidade, sendo importante frisar que todos são analisados à luz dos costumes, sobretudo porque o Estatuto da Associação Quilombola Kalunga não dispõe expressamente sobre o reconhecimento do pertencimento.

A constitucionalidade dos critérios de reconhecimento do pertencimento do quilombo Kalunga

Quando tratamos da autonomia do povo Kalunga, consideram-se como marco principal os dispositivos da Convenção 169 da OIT. A Convenção garante no Artigo 4º aos povos e às comunidades tradicionais o "direito à autonomia ou ao autogoverno nas questões relacionadas com seus assuntos internos e locais", assegurando também, no Artigo 5º, o "direito a conservar e reforçar suas próprias instituições políticas, jurídicas, econômicas, sociais e culturais".

É justamente lançando mão do direito de autodeterminação que os povos quilombolas podem escolher e decidir que tipo de organização querem ter ou usufruir. No exercício de sua autodeterminação, os povos quilombolas podem estabelecer como funcionarão ritos internos às suas comunidades, estabelecendo ainda como assuntos que lhes dizem respeito devem ser tratados e decididos.

Como defendido por Raquel Fajardo,[3] o direito dos povos tradicionais ao seu próprio sistema jurídico, instituições próprias, o respeito aos direitos costumeiros, às suas autoridades e instituições de resolução de conflitos estão reconhecidos e protegidos pela Convenção 169 da OIT. É dever dos Estados nacionais, notadamente daqueles que são signatários da Convenção 169, garantir aos povos e às comunidades tradicionais a fruição desse direito, desde que o mesmo não esteja em desacordo com os sistemas jurídicos nacional e internacional, conforme o Artigo 9º da Convenção 169.

Conforme descrito anteriormente, os critérios de reconhecimento do pertencimento adotados pela comunidade quilombola Kalunga em nada contrariam o ordenamento jurídico nacional, pois o próprio Decreto nº 4.887/2003 autoriza as comunidades a estabelecerem seus critérios de autoidentificação.

Nessa diretiva, o Estado deve pautar-se por uma concepção multiculturalista, reconhecendo a realidade de pluralidade de ordem jurídica. A perspectiva multicultural contradiz a ideia de uma cultura única, homogênea, e traz a concepção de distintas culturas convivendo no mesmo espaço em que o direito do Estado é juridicamente soberano.

Assim, podemos compreender que uma sociedade que não é una não pode ter um único Direito; por mais que algumas práticas teóricas desenvolvam argumentos contrários, é crucial reconhecer o contexto do multiculturalismo se quisermos reconhecer direitos em condições de igual dignidade para as minorias étnicas.

Como já referido, a autonomia dos povos tradicionais é expressamente garantida na Convenção 169 da OIT. É importante destacar que a Convenção 169 foi incorporada ao sistema jurídico brasileiro como norma supralegal, devendo ser aplicada integralmente. A Convenção dirige-se aos povos indígenas e tribais, ou seja, aos povos que, por suas condições sociais, culturais e econômicas, se diferenciam dos demais e que vivem total ou parcialmente sob a regência de seus costumes e tradições.

O estabelecimento dos critérios de aferição do pertencimento adotados pelo povo Kalunga está perfeitamente amparado pela Constituição Federal de 1988 e é reforçado pela Convenção 169 da OIT. As normas do quilombo, ao reconhecerem ou negarem o pertencimento de um indivíduo, ao regularem os direitos patrimoniais oriundos do divórcio ou da dissolução da união estável, correspondem a costumes e tradições próprias do povo Kalunga, que deve ter seu direito à autodeterminação respeitado.

O reconhecimento da diversidade étnico-cultural do Brasil pela Constituição implica o dever de preservação dos valores culturais dos diferentes povos. O reconhecimento do direito quilombola ao território, por sua vez, implica o direito a viver de acordo com seus costumes e práticas, que formam seu patrimônio histórico e cultural, consoante clara disposição dos Artigos 215 e 216 da Constituição.

Ressalta-se que os direitos culturais garantidos pela Constituição de 1988 incluem o direito à identidade cultural, ou seja, de ser diferente e respeitado enquanto ser e, indistintamente, gozar plenamente dos direitos inerentes à pessoa humana, cumprindo todas as obrigações que lhe caibam.

Assim, verifica-se que a utilização de critérios próprios para o reconhecimento do pertencimento é, a um só tempo, para a comunidade Kalunga o exercício do direito à autodeterminação e uma forma de proteção de sua identidade contra inescrupulosos que dela querem lançar mão para gozo das políticas públicas específicas e, inclusive, para acessar direitos relacionados ao território, um elemento fundamental na constituição da identidade Kalunga.

Considerações finais

Em tempos de retrocessos e de desmoralização da política, de flexibilização dos direitos essenciais, de deturpação da democracia e de discursos odiosos proferidos por políticos que são idolatrados por parcela significativa da população, observa-se uma insanidade que desumaniza uma vez mais os indígenas, os negros, os miseráveis, as mulheres, a população LGBTQI+. Em suma, as pessoas que não encontram guarida nos padrões higienistas de uma pretensa elite que aplaude e incorpora as ideias fascistas, as quais, por vezes, nos remetem à Alemanha nazista de meados do século passado, estão cada vez mais desprotegidas.

Por isso, é importante revisitar o passado e refletir sobre os caminhos sinuosos da humanidade. Ao olhar para trás temos a dimensão das práticas aviltantes que envolviam a escravização no Brasil e, mesmo passados mais de um século do fim oficial do regime escravista, a sociedade dita hegemônica insiste em manter a dominação e a subalternização de negras e negros.

Nem mesmo o reestabelecimento da ordem democrática pela Constituição Cidadã conseguiu aplacar a fúria e a crueldade de quem quer lucrar com a exploração da massa marginalizada desse país, sobretudo de negras e negros, que são a maioria da população brasileira.

A análise aqui realizada procura chamar a atenção para o fato de que as políticas públicas destinadas aos quilombolas não são privilégios, mas meios mínimos de reparar a crueldade histórica gerada pela escravização e pela negação da condição de ser humano do povo negro. Um processo de desumanização que insiste em mostrar suas raízes fincadas nos estigmas, na ignorância, na arrogância, na crueldade mesmo nos dias atuais. Tudo isso subalterniza, marginaliza e assassina milhares de negras e negros todos os anos. Logo, são imprescindíveis e justas todas as ações que visem concretizar a igualdade material para a população negra, em especial para quilombolas, que só muito recentemente tem se tornado visíveis ao Estado.

Dentre os milhares de territórios quilombolas do país que surgiram como forma de resistência e luta ao regime escravista, existe o quilombo Kalunga. Desde sua fundação, o quilombo resiste e se recria em sua *práxis*, nos ensinando que a identidade é uma herança valiosa, que não é dada ou negociada. Ser Kalunga é descender de um povo que trouxe consigo a relação comunitária com a terra e carrega as marcas de um passado opressor sem perder a dignidade, a esperança, a força e a identidade. É vital para a manutenção dessa coletividade a proteção da identidade Kalunga, proteção observada pela Constituição de 1988, que reconheceu a diversidade étnico-cultural do Brasil e iluminou a questão quilombola, ao tratar especificamente dos direitos territoriais do nosso povo.

Notas

[1] **Convenção nº 169 sobre povos indígenas e tribais e Resolução referente à ação da OIT**. Brasília: Organização Internacional do Trabalho, 2011. Disponível em: http://www.palmares.gov.br/wp-content/uploads/2018/09/convencao-169-OIT.pdf.

[2] Ibid.

[3] Fajardo, Raquel Z. Yrigoyen. **Pueblos indígenas**: constituciones y reformas políticas en América Latina. Lima: Instituto Internacional de Derecho y Sociedad, 2010.

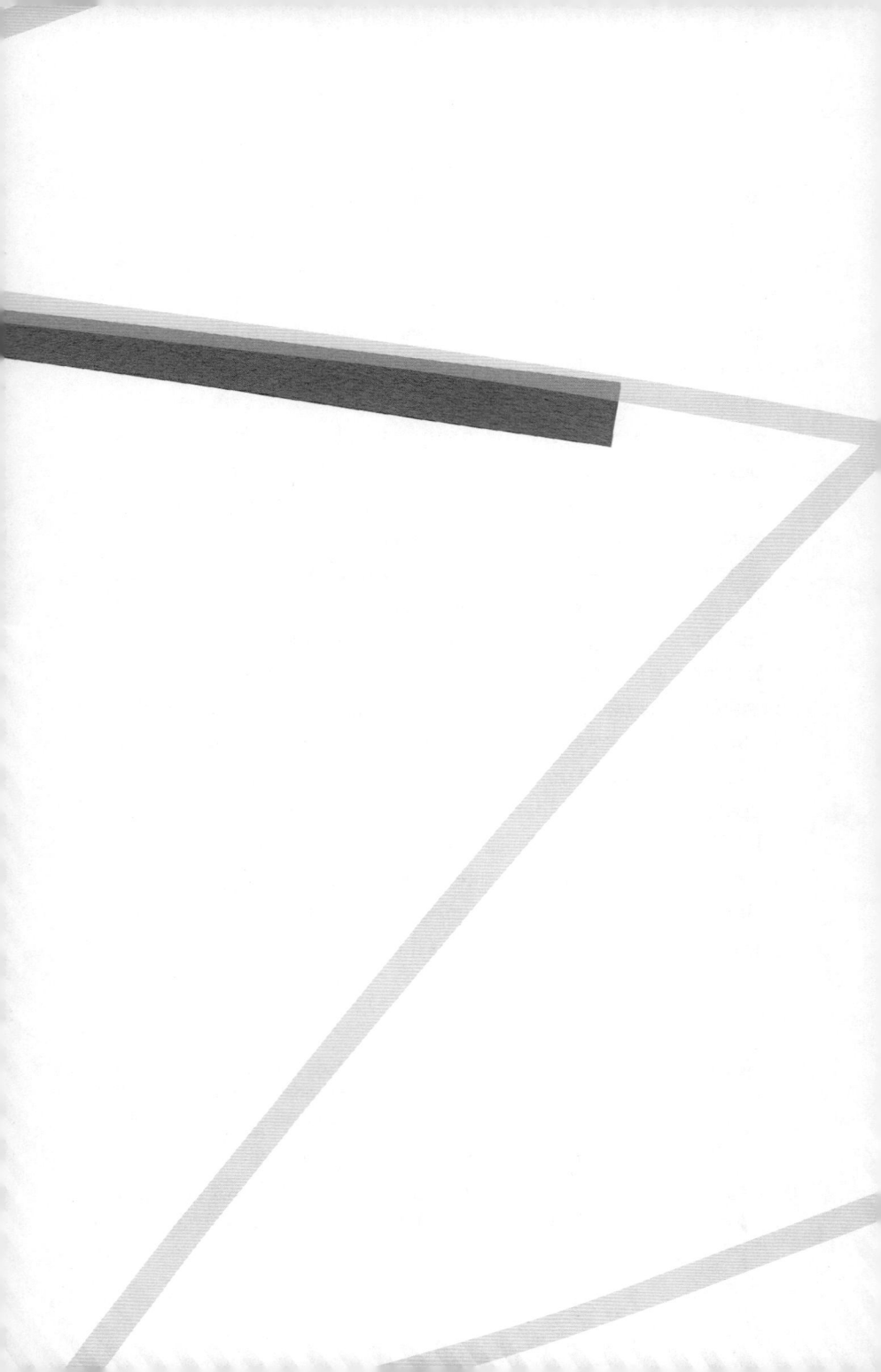

Da comunidade à universidade: trajetórias de luta e resistência de mulheres quilombolas universitárias no Tocantins

CIDA

DÉBORA

AMÁRIA

AMÁRIA CAMPOS DE SOUSA

Mulher quilombola da comunidade Dona Juscelina, em Muricilândia, no Tocantins. Estuda História na Universidade Federal do Tocantins e é coordenadora administrativa na Coordenação Estadual das comunidades quilombolas do Tocantins.

DÉBORA GOMES LIMA

Mulher quilombola da comunidade Pé do Morro, em Aragominas, no Tocantins. Estudante de Química na Universidade Federal do Tocantins e secretária da Associação da Comunidade.

MARIA APARECIDA RIBEIRO DE SOUSA

Mulher quilombola do Prata, em São Félix, no Tocantins. Estuda Pedagogia na Universidade Federal do Tocantins, é coordenadora Estadual da Coordenação Estadual das Comunidades Quilombolas do Tocantins e coordenadora executiva da Conaq.

AMÁRIA CAMPOS DE SOUSA, DÉBORA GOMES LIMA E MARIA APARECIDA RIBEIRO DE SOUSA

A mulher quilombola como pilar da comunidade: resistência e superação da violência

A mulher quilombola traz consigo uma trajetória de luta e resistência, na qual assume a linha de frente, convivendo na comunidade, trabalhando no roçado, desempenhando cargos de liderança dentro e fora do seu território, ou ainda ocupando as universidades. A academia, por sua vez, é um espaço de encontro de saberes em que o acesso ao conhecimento científico agrega elementos à experiência dessas mulheres, qualificando suas aprendizagens, que elas podem devolver para suas comunidades. Por outro lado, a presença das mulheres quilombolas na universidade qualifica a academia e reforça a utilidade social do saber acadêmico, construindo pontes com as questões quilombolas e as lutas pelo e no território.

São imperativos esse diálogo e essa combinação de saberes para a mobilização de grupos aliados e dos órgãos oficiais do Estado, visibilizando a comunidade e suas lutas políticas, construindo novos meios e articulações para conquistar e assegurar direitos do povo quilombola. A mulher quilombola está o tempo todo lutando pela existência e permanência do quilombo e de seu povo, articulando uma rede de colaboração em sua comunidade para possibilitar esse processo de luta. É esse trabalho de articulação, na maior parte das vezes invisível, que assegura que, enquanto uma parte da comunidade está à frente da luta organizando protestos e ações nas instituições, a outra parte atue como uma rede de apoio para que o processo de luta ocorra. Por exemplo, enquanto algumas mulheres estão na linha de frente, outras se mobilizam para cuidar dos filhos delas, do roçado, e atividades semelhantes.

Como mulheres negras e quilombolas, desde pequenas passamos por diversos processos de preterimento. Na infância e na adolescência, quando nos vemos excluídas no ambiente escolar, percebemos que isso acontece não apenas por sermos negras; ficamos à parte também por sermos membros de outro grupo excluído e invisibilizado, o povo quilombola.

Trata-se de um processo de estigmatização também relacionado com o racismo, o desconhecimento da população em geral sobre quilombos e quilombolas e o fato de que grande parte dos quilombos estão em áreas rurais, distantes dos centros urbanos. O nascimento dos quilombos decorreu dessa necessidade de afastamento dos centros, pois resultou da busca por refúgio de negras e negros que conseguiam escapar da escravização, que perdurou no país por mais de trezentos anos (de 1530 a 1888). Ao longo dos anos, a existência dos quilombos tem permitido a preservação de espaços de manutenção e resistência da cultura negra e da ancestralidade africana; uma (re)existência que deve muito à liderança de mulheres quilombolas.[1]

Ser mulher e negra na sociedade remete a uma existência marcada por estereótipos, carregada de desafios e interrompida por dores e obstáculos. Já nascemos sendo subjugadas e hipersexualizadas. Se falamos de mulheres negras e quilombolas, é preciso reconhecer as especificidades do contexto em que elas estão inseridas. Falamos de mulheres que, em seus quilombos, travam batalhas contra opressões específicas: a sobrecarga do trabalho para o sustento, do trabalho na terra e do cuidado do lar e da coletividade; o engajamento na luta pelo território e pela sobrevivência; o enfrentamento da violência de gênero, doméstica e dos conflitos territoriais. São mulheres que sempre trabalharam no campo e em outras atividades para garantir seu sustento e da família. Mulheres que cuidam dos afazeres do lar e, no entanto, mesmo de forma indireta, não deixam de ser lideranças e trabalhar pela proteção da comunidade, agindo pela defesa e promoção de outras mulheres – ações que as caracterizariam como feministas, um termo, aliás, estranho para muitas da comunidade.

De fato, nós, mulheres quilombolas, estamos na dianteira da construção de soluções para os problemas vividos no território. Enquanto para os homens é mais fácil migrar para as cidades mais próximas em busca de trabalho, geralmente nós permanecemos no quilombo, assumindo a responsabilidade pela família e pela coletividade. Ali, garantimos sustento com o manejo dos recursos naturais e atuamos na organização social e na transmissão dos saberes ancestrais, para citar algumas das atividades essenciais para a comunidade das quais nos encarregamos. Nessa lida, estamos expostas a variadas formas de violência: os impactos dos conflitos territoriais, dos empreendimentos e das obras desenvolvimentistas; a supressão de nossos direitos pela falta de políticas públicas; os conflitos na gestão do território, entre outras situações, como a necessidade de superar a pobreza e a falta de oportunidades, que comprometem significativamente nosso desenvolvimento social e econômico. Mesmo nesse cenário adverso, resistimos, inspiradas no protagonismo feminino e negro.[2]

No quilombo os homens assumem a posição de provedores do lar, saindo pela manhã para trabalhar no campo e voltando ao entardecer, enquanto as mulheres exercem uma diversidade de funções diariamente. Ao assumirmos posições de liderança, nos tornamos uma vez mais alvos do machismo, expostas a mais cobranças, críticas e ameaças. Contudo, apesar do papel que exercemos e dos riscos que corremos, nossa invisibilidade é gritante. Quando se fala em quilombo, pouco é dito sobre as mulheres quilombolas, apesar de a maior parte dos quilombos ser liderada por elas. Essa invisibilidade da presença feminina no quilombo se transpõe para os outros espaços que frequentamos, por exemplo as universidades, lugar em que as mulheres quilombolas enfrentam diversas dificuldades.

Ingresso e permanência na universidade: mulheres quilombolas superando obstáculos e promovendo o diálogo de saberes

Nossa luta se dá em vários espaços na academia e começa antes mesmo de ingressarmos nas universidades. Na maioria dos quilombos, jovens enfrentam uma série de adversidades para ingressar na universidade, e muitos acabam desistindo logo no processo de inscrição para o vestibular, impossibilitados pela burocracia, pelos prazos curtos que os impedem de reunir e autenticar toda a documentação necessária. Outro obstáculo é a dificuldade de acesso aos locais dos processos seletivos, realizados fora das comunidades. Soma-se a isso o fato de que as provas cobram saberes que eles não possuem, dos quais foram privados pela falta de acesso a uma escola com um corpo docente capacitado para compartilhá-los, ou pela deficiência do sistema de ensino, que adota metodologias ineficientes no processo de aprendizagem e que os limitam como indivíduos. E quando esses jovens conseguem, apesar de tudo, ingressar na universidade, depois de superar muitas dificuldades, são obrigados a deixar suas comunidades e residir em um município distante.

Diante desse cenário, vemos o quanto o processo de ingresso e de permanência na universidade é complexo no contexto quilombola, devido a uma série de especificidades. Atualmente, ainda que seja possível identificar um bom número de quilombolas ingressantes nas universidades, é preciso ressaltar que nem sempre há condições para que eles concluam os estudos, vide o índice alarmante de evasão desses estudantes.

Uma vez alcançado o objetivo, estudantes veem-se numa nova realidade, em que, distantes das comunidades, precisam elaborar novos meios de resistência. É intrincado o desafio de permanecer na universidade, preservar a identidade quilombola e adaptar-se a um contexto em muitos aspectos totalmente contrastante com o seu de origem. E, ainda assim, com todos os obstáculos, quilombolas trabalham arduamente para aproximar a universidade do quilombo, o que se revela em iniciativas como organização de eventos, oficinas, palestras, seminários, etc.

Vale ressaltar que algumas universidades apresentam políticas públicas para apoiar os estudantes quilombolas, como a cota quilombola e a bolsa-permanência, exemplos de ações afirmativas conquistadas graças aos movimentos quilombolas e ao protagonismo das mulheres na liderança, na organização e na articulação. A cota quilombola possibilita que muitos jovens da comunidade hoje possam ter acesso à universidade, e a bolsa-permanência garante auxílio financeiro para que eles se mantenham lá.

Em relação às disputas políticas enfrentadas por estudantes quilombolas para permanecer nas universidades e concluir os estudos, é relevante nosso exemplo de luta estudantil quilombola e indígena na Universidade Federal do Tocantins no ano de 2018. Apesar do nosso trabalho e da relevância da nossa atuação na universidade, enfrentamos uma redução nos números de bolsas ofertadas em 2018. Diante desses cortes, estreitamos a relação com estudantes indígenas, iniciando um movimento próprio, o Movimento Estudantil Indígena e Quilombola (MEIQ). Com essa nova mobilização, ocupamos a Fundação Universidade Federal do Tocantins reivindicando o posicionamento da administração da universidade, tanto da direção quanto da reitoria, sobre os cortes; monitorias específicas para indígenas e quilombolas; medidas de ação afirmativa mais eficazes para além de bolsa de estudos, que é nossa por direito; mais visibilidade e maior compreensão do corpo administrativo com estudantes vindos de aldeias e comunidades. E em uma ocupação histórica, obtivemos resultados positivos.

Nessa ocupação as grandes protagonistas das negociações foram as mulheres indígenas e quilombolas. Ocupando nosso lugar de fala, enquanto mulheres quilombolas e indígenas, nos posicionamos nas situações que nos afetavam por conta do nosso gênero, raça e etnia durante a ocupação. Nossa liderança, formada por jovens atuantes, enfrentou diferentes níveis da gestão, desde a coordenação de curso até a reitoria, e diversas vezes fomos postas à prova por sermos mulheres quilombolas. Nos questionamentos dos gestores e da comissão de negociação ficou evidente que, em alguns momentos, esses professores atribuíam a terceiros o planejamento da ocupação e toda a articulação envolvida no processo. Claramente, não éramos vistas como capazes de nos organizar e de nos mobilizar para ocupar a universidade em defesa dos nossos direitos – os quais estavam sorrateiramente sendo retirados em todas as assembleias e negociações realizadas pela gestão. Além disso, ser um movimento liderado por mulheres os encorajou a dialogar em tom ameaçador, com a intenção de nos desestabilizar a todo custo.

Antes da ocupação, vínhamos tentando ao longo dos meses dialogar com a direção, sem sucesso. Vendo o descaso diante de todo o nosso esforço e toda a nossa luta, a única saída foi organizar a ocupação e reivindicar nossos direitos. Logo no primeiro dia de mobilização foi chocante ver nosso protagonismo deslegitimado na ocupação, atribuída a terceiros.

Quando a gestão percebeu que o movimento era liderado de fato por mulheres, tentou dialogar apresentando soluções absurdas e vagas. Acharem que acataríamos qualquer solução sem um questionamento mais profundo foi para nós mais uma suposição ofensiva sobre a nossa capacidade de articulação política. Mas, ao contrário do que imaginavam, nós tínhamos, sim, embasamento teórico e jurídico para respaldar todas as nossas ações. Também nos subestimaram ao supor que estaríamos sozinhas naquela mobilização, incapazes de engajar mais pessoas na nossa causa – como teríamos essa capacidade de articulação, afinal? Quando questionados por não aceitarem a nossa capacidade de auto-organização, atribuíam a liderança do movimento a algum professor ou a qualquer outra pessoa que estivesse em um patamar acima do nosso.

Em alguns momentos, tentaram nos amedrontar, ameaçando até chamar a Polícia Federal, mas nos mantivemos firmes. E quando já nos sentíamos cansadas, nos alimentando mal e perdendo horas de sono, tentaram se aproveitar disso, presumindo que, estando mais vulneráveis, cederíamos às mesmas soluções inúteis que nos apresentaram inicialmente. Porém, nos mantivemos fortes.

Víamos no olhar de cada um daqueles docentes o incômodo e a indignação diante da nossa ocupação. Para nós, que estávamos sentindo na pele todos os direitos sendo retirados, foi cruel e estarrecedor perceber que, além das opressões que suportávamos no dia a dia da universidade, ainda tenha havido tentativas de deslegitimar nosso movimento – movimento organizado para lutar pela permanência de todas e todos os quilombolas e indígenas dentro da universidade.

No decorrer de todo o processo de negociação, o machismo e o racismo institucional eram explícitos. Falando enquanto mulheres quilombolas e indígenas, não deixamos que as questões fossem tratadas sem perspectiva étnico-racial ou de gênero. É imprescindível que as especificidades referentes a essas mulheres sejam reconhecidas no debate sobre o ingresso e a permanência de minorias na universidade.

A presença de mulheres quilombolas nas universidades é um tema de extrema relevância social e política. Temos contribuído significativamente para a produção de conhecimento sobre nossa realidade, tornando-a cada vez mais visível. Com o diálogo de saberes, temos contribuído nos nossos espaços de origem e fora deles, seja em questões relativas à demarcação e titulação de territórios, seja em questões sociais, econômicas e ambientais. Em paralelo, enquanto o feminismo negro vem cada vez mais ganhando visibilidade nos debates acadêmicos, outros feminismos tendem a ser esquecidos e excluídos. Nossa intenção, ao produzir este texto e narrar nossa história de luta, é contribuir para que mulheres quilombolas e sua contribuição ao feminismo não sejam esquecidos e façam parte do debate.

Notas

[1] Ver ONU Mulheres Brasil. **Mulheres quilombolas**: liderança e resistência para combater a invisibilidade. Disponível em: http://www.onumulheres.org.br/noticias/mulheres-quilombolas-lideranca-e-resistencia-para-combater-a-invisibilidade/. Acesso em: 15 maio 2019.

[2] Ibid.

Trajetória acadêmica, raça e identidade quilombola: um breve relato biográfico[1]

GESSIANE NAZÁRIO

Mulher quilombola do Quilombo da Rasa, em Armação dos Búzios, no Rio de Janeiro. É doutoranda em Educação pela Universidade Federal do Rio de Janeiro, mestre em Sociologia pela Universidade Federal Fluminense e graduada em Pedagogia pela mesma universidade. Representante de Assuntos Educacionais da Acquilerj (Associação das Comunidades Quilombolas do Rio de Janeiro), também atua como professora da rede municipal.

Uma trajetória pessoal inscrita na memória e na história do Quilombo da Rasa

Neste espaço que me é concedido, apresento o caminho percorrido por uma intelectual negra e quilombola na construção de uma pesquisa de mestrado. Investigação que realizei no Quilombo da Rasa, em Armação dos Búzios, no Rio de Janeiro, ao qual pertenço etnicamente.

Rasa é um bairro periférico da cidade de Armação dos Búzios que abriga uma comunidade quilombola de pouco mais de quatrocentas famílias. A origem étnica dos negros da Rasa é baseada na memória da escravização – nossos ancestrais foram escravizados na antiga Fazenda Campos Novos,[2] cuja produção agrícola abastecia a cidade do Rio de Janeiro.

Nossa origem étnica remonta igualmente ao período pós--abolição, quando nossas famílias pagavam arrendamento aos sucessivos donos da Fazenda Campos Novos, antes e durante o processo de fragmentação das terras para loteamento. Após a abolição, os ex-escravizados e seus descendentes pagavam para morar nas terras lavrando as suas roças e a dos fazendeiros, não raro passando por situações degradantes. Foram muitos os casos de humilhação que quilombolas de diferentes gerações – algumas e alguns hoje anciãs e anciãos – tiveram de suportar para sobreviver, como enfrentar os bois que os capangas dos fazendeiros soltavam em seus quintais e incêndios criminosos em suas roças.

A luta quilombola na Rasa atualmente é para que haja justiça em relação a esse período histórico. Foram muitas as famílias expulsas de suas terras e grande parte foi forçada a migrar para outras cidades.

A família de meu avô, Natalino Aspino Nazário, foi uma das impactadas por esse processo histórico de expropriação. Primeiro, foi forçada a se mudar para a região central de Cabo Frio (nesse período Búzios era distrito de Cabo Frio). As dificuldades em conseguir trabalho na cidade, por sua vez, levaram-nos a pedir esmolas para conseguir um prato de comida. Mudaram-se, então, para o Rio de Janeiro, com o apoio do irmão mais velho de meu avô, que havia migrado para o Rio anos antes e conseguido um emprego que o possibilitava ajudar a outra parte da família. Foi nesta cidade que meu avô e seus irmãos conseguiram se matricular em um curso primário e aprender a ler. Mais tarde, meu avô viria a se casar e ter seus filhos morando na região do Leblon, na Praia do Pinto, até, mais uma vez, ser expulso no processo de remoção das favelas da Zona Sul – um processo que submeteu famílias a situações humilhantes, como serem remanejadas em um caminhão de lixo para um conjunto habitacional na Cidade Alta.

Posteriormente, o aumento da violência estimulou meu avô a deixar o Rio de Janeiro. Mesmo desejando regressar para o seu território de origem, ter um projeto de vida na Rasa continuava a ser um sonho impossível para ele. Nas suas próprias palavras, lá "não tinha trabalho pra gente". Ele decidiu, então, mudar-se para São Gonçalo, onde eu e minhas irmãs nascemos. Atualmente, minha família, incluindo meu avô, residimos na Rasa e damos continuidade a essa história de luta.

Tais como essas, são muitas as memórias carregadas de sofrimento e dor. Sobre muitas delas, nosso povo preferiu o silêncio, evitando reviver ou recontar esses episódios aos seus descendentes. As estruturas sociais e econômicas construídas pelas famílias ex-escravizadas da Rasa e pelas gerações posteriores, que incluíam um estilo de vida rural, foram desfeitas com o processo de expropriação das terras. A memória desse passado, ainda muito presente, se transfigura na luta por reparação e no enfrentamento do racismo de Estado, que dificulta o processo de titulação das terras reivindicadas.[3]

Refletir sobre essa trajetória familiar só se tornou possível para mim quando, na universidade, tive a oportunidade de refazer essa narrativa. Foi na disciplina Relações Étnico-Raciais na

Escola, recém-introduzida na grade curricular do curso de Pedagogia da Universidade Federal Fluminense, no ano de 2010, que refleti pela primeira vez sobre o racismo estrutural em nossa sociedade.[4] Refletir sobre essas histórias e resgatar a memória da família me levaram à autorreflexão, o que, por sua vez, deu início à desconstrução do racismo que habitava em mim e ao processo da minha autoidentificação como quilombola.

Uma das histórias resgatadas é a de minha tataravó Madalena, uma angolana que veio para o Brasil ainda nos braços da mãe, em um dos navios negreiros do traficante José Gonçalves da Silva e, uma vez chegada à Rasa, foi escravizada nas terras da antiga Fazenda Campos Novos. Nas costas de minha tataravó havia cicatrizes dos espancamentos sofridos quando foi escravizada. Outra história simbólica é a do meu bisavô Aspino, pai de meu avô Natalino. Meu bisavô enfrentou um boi bravo enquanto voltava de seu trabalho na roça com os irmãos; não fugiu e enfrentou o boi do fazendeiro dando-lhe murros até vencê-lo. As narrativas de enfrentamentos de bois, aliás, são muito frequentes na memória de quilombolas que viveram o período de expropriação de suas terras.[5]

No processo dinâmico e doloroso de reflexão sobre a minha identidade e ressignificação enquanto mulher, negra, quilombola e acadêmica, pude compreender o significado do enfrentamento de bois como questão não apenas de sobrevivência, mas como ato simbólico de esmurrar os próprios fazendeiros e as condições aviltantes a que submetiam quilombolas. Comecei a valorizar essas histórias, compreendendo que as minhas inquietações pessoais enquanto mulher negra, pobre e quilombola resultam também de problemas históricos e sociais. No percurso de minhas pesquisas, fui desvendando processos complexos de construção simbólica da realidade e entendendo o papel fundamental que esses processos desempenharam na estruturação da minha subjetividade.

Trajetória acadêmica como parte de um processo de emancipação pessoal que resulta da luta coletiva e para ela contribui

Pensar a sociogênese da minha trajetória acadêmica, compreendendo-a no âmbito de acontecimentos e processos que fazem parte da minha história de vida pessoal e política, não significa cair no erro da ilusão biográfica criticada por Bourdieu.[6] A biografia individual que aqui compartilho não remete a um projeto inscrito em uma subjetividade naturalizada, refere-se antes a uma trajetória socialmente construída em processos estruturados, mas não planejados, vistos em escalas espaço-temporais e níveis de análise e abstração diversos. É claro que tal estrutura só pode ser conhecida *a posteriori*, de forma distanciada e refletida, lançando mão de ferramentas teóricas e metodológicas da sociologia.

Minha trajetória acadêmica se inscreve em processos sociais e históricos transgeracionais que remetem: ao processo de expropriação fundiária pós-abolição na Rasa; à inviabilização das bases sociais e econômicas de reprodução das famílias negras descendentes de escravos; ao racismo construído por formas de subordinação simbólica e material específicas à produção da categoria "os negros da Rasa"; à migração de algumas famílias para contextos urbanos como a Zona Sul do Rio de Janeiro; à remoção de favelas durante a ditadura militar; ao movimento quilombola na Rasa; à Lei 10.639/03, que constituiu o marco legal e normativo para a criação da disciplina de Educação e Relações Étnico-Raciais na Universidade Federal Fluminense; até a minha entrada no Grupo Negras e Negros em Movimento e no Grupo Laboratório de Estudos sobre Movimentos Sociais, Trabalho e Identidade na mesma universidade. Esses grupos de pesquisa foram fundamentais ao meu ingresso no mestrado de sociologia e no doutorado em educação.

Essa transição de acontecimentos não corresponde a nenhuma evolução linear e teleológica (que apenas corroboraria a ilusão biográfica), reflete antes a convergência e o encadeamento de eventos e processos históricos e sociais, dinâmicos e complexos, cuja combinação imprevisível, inconsciente e não planejada por todos os sujeitos envolvidos (e por mim, principalmente) resultou na configuração da minha subjetividade e em escolhas que constituem a minha trajetória acadêmica, pessoal e política (nos termos de uma concepção de sociologia histórica de Weber e Elias).

Em paralelo ao processo em que aprendi a valorizar a minha identidade de mulher negra e quilombola, engajando-me no movimento quilombola,[7] me inteirei da dimensão e da importância da escola como espaço de fortalecimento (ou de negação) da história e da memória das famílias negras e quilombolas. Essa é uma das razões que motiva a luta do movimento quilombola por uma educação diferenciada, baseada nos próprios saberes e experiências do grupo.

Foram essas questões que me motivaram a fazer o mestrado e pesquisar a instituição de ensino que atende a maior parte das crianças da região da Rasa, a escola municipal João José de Carvalho, cujo nome homenageia um pescador quilombola muito relembrado na memória dos quilombolas da Rasa.

A pesquisa ajudou-me a desvendar um universo de práticas tão familiares a mim, mas que em toda a minha trajetória permaneceram ocultadas aos meus olhos, o que evidencia o racismo enraizado no ambiente escolar. De forma sutil, o racismo exclui as crianças negras, quilombolas e pobres na escola, estruturando como a criança negra tem sua autoestima atacada nesse estabelecimento social.[8]

Compreendi assim a importância de, desde o ensino básico, possibilitar oportunidades para que os indivíduos aprendam quem são, tomem consciência de sua condição de sujeitos históricos, produtores de cultura que agem e interagem no mundo a partir de seu lugar social. E para a compreensão desse lugar social é necessário que o indivíduo entenda que sua biografia tem uma dimensão histórica complexa na qual sua condição presente e sua subjetividade se constituem. A compreensão da vida social só pode acontecer sob uma abordagem processual que não se limite a contextos temporalmente curtos ou restritos ao presente e à consciência dos sujeitos, inserindo-os em cadeias causais e de significado, ou em desenvolvimento, de longa duração.[9]

Minha dissertação de mestrado, defendida em 2015, intitulada *Isso é uma questão muito política: relações raciais e memória quilombola no espaço escolar de Armação dos Búzios*,[10] traz no primeiro capítulo um debate sobre a Lei 10.639, de 9 de janeiro de 2003, que estabelece as diretrizes e bases da educação nacional, para incluir no currículo oficial da rede de ensino a obrigatoriedade da história e cultura afro-brasileira. Nesse capítulo, dialogo com autoras e autores que são referências na discussão acadêmica e política sobre educação e relações étnico-raciais. Na minha pesquisa também discorro sobre a história de Búzios e seus habitantes, ou seja, o espaço e suas configurações históricas; a escravidão e suas marcas na vida dos descendentes dos negros escravizados baseada em uma discussão sobre memória, etnicidade e território. Por fim, demonstro, por meio de uma etnografia da escola, como as discussões teóricas do primeiro capítulo e como a memória do grupo quilombola local são silenciadas no espaço escolar pelos mecanismos sociais que impedem ou dificultam a implementação da Lei 10.639/03.

Um dos mecanismos de silenciamento da memória constatado durante a realização da minha pesquisa de mestrado foi o "mito de origem" de Búzios, que a apresenta como cidade turística construída por uma elite de empresários do ramo turístico e imobiliário, a partir da visita da atriz francesa Brigitte Bardot ao balneário. Mulheres importantes na memória quilombola como Madalena, Bibiana, Tertela, Leopoldina, Lúcia, Eva, Cecília e outras são simplesmente silenciadas em benefício de uma história criada para vender uma imagem glamourizada de Búzios nos catálogos de turismo e no imaginário da população local.

A partir desse trabalho, pude refletir sobre o debate acadêmico em torno da Lei 10.639/03, que recentemente chegou a algumas escolas do município de Armação dos Búzios, incluindo a escola onde realizei a pesquisa de mestrado e onde realizo atualmente a pesquisa de doutorado. Durante os estudos de mestrado, pude observar quais empecilhos se colocam à realização de uma educação étnico-racial na rotina de professoras e professores. Esses empecilhos abrangem desde conceitos que não foram apropriados para serem transmitidos em ambiente escolar – como os conceitos sociológicos e antropológicos de identidade, cultura, racismo, etnicidade e quilombo –, até práticas e atitudes racistas que passam despercebidas pelo olhar de profissionais da educação. Soma-se a isso a burocratização da rotina escolar, as condições precárias para exercício do trabalho docente, como falta de estrutura, baixos salários e contratos instáveis de trabalho.

Cabe destacar que, mesmo sendo resultado de lutas do movimento negro em prol de uma educação antirracista, devido à ausência da criação de fóruns (efetivos e permanentes) de discussão, formação e diálogo com professoras e professores, a Lei 10.639/03 é imposta pela Secretaria Municipal de Educação de Búzios de forma burocrática e autoritária. Essa realidade transforma a lei em um pacote de normas percebidas por professoras e professores como um fardo a mais. Diante desses percalços, docentes acabam sabotando, consciente ou inconscientemente,[11] sua potencialidade de transformação do espaço escolar, e de contribuir para um ambiente de combate diário ao racismo e de afirmação da identidade quilombola. Trata-se do complexo desencontro entre os significados e entendimentos de quem formula leis e políticas públicas e aquelas e aqueles que as implementam em situações localizadas de exercício de direitos.

A questão do feminismo negro também tem sido estrutural na construção de minha subjetividade enquanto intelectual quilombola, contribuindo intensamente para as reflexões da minha tese de doutorado.[12] Ao entrar em contato com as obras de Angela Davis e Djamila Ribeiro – que me conduziram a outras autoras negras como bell hooks e Giovana Xavier, a reflexão sobre minha trajetória enquanto pesquisadora quilombola tomou uma dimensão mais profunda.

Em maio de 2018, tive a oportunidade de participar de um evento acadêmico em Harvard, onde pude expressar minhas reflexões fora do Brasil, reforçando meu lugar de fala não apenas de mulher negra, mas de mulher negra, quilombola e acadêmica. Pensar sobre o que significam essas interseções identitárias me permitiu compreender as "revoluções internas", como denomina Giovana Xavier, que possibilitaram meu reencontro comigo mesma. Esse complexo exercício intelectual me auxilia no desvendamento de certas correntes psíquicas que tendem a nos imobilizar[13] diante dos bloqueios emocionais e cognitivos causados pela internalização de preconceitos de gênero e raça. No meu caso, o acesso ao conhecimento e a leitura de experiências de outras mulheres negras e intelectuais possibilitaram-me desconstruir essa representação de subalternidade internalizada.

Refletindo sobre minha trajetória pessoal e acadêmica, que perpassa a produção de minha dissertação de mestrado em sociologia e culmina na construção de minha tese de doutorado em educação, afirmo que uma educação libertadora pode nos levar a perceber os complexos efeitos do racismo. Um fenômeno que, ao estruturar as relações na sociedade, é também impregnado em nós, bloqueando-nos muitas vezes de nos enxergarmos como intelectuais e de conquistarmos o espaço acadêmico. Um espaço que sempre nos foi apresentado como um "não lugar" – a não ser que nele estivéssemos em posições subalternizadas.

Notas

[1] Com este texto homenageio uma pessoa muito importante para nós, quilombolas da Rasa: nossa grande liderança Dona Uia. Uma mulher que foi fundamental no processo no qual me reconheci enquanto quilombola e enfrentei os desafios para continuar meus estudos universitários na pós-graduação. Infelizmente nós a perdemos para a Covid-19 no dia 10 de junho de 2020. Com ela eu aprendi muito sobre minhas ancestrais e sobre a luta pela terra. Sempre me lembrarei dela com muito carinho e respeito. A você, tia Uia, e a nossas ancestrais, eu dedico este texto.

[2] Uma reflexão aprofundada sobre a construção da identidade étnica quilombola da Rasa é desenvolvida em Peres, Sidnei. **Identidade quilombola e dinâmica territorial em Armação dos Búzios**: memória, direitos e políticas de reconhecimento étnico no Brasil. Trabalho apresentado no 24º Congresso Internacional de Americanística. Perúgia (Itália), 3-10 maio 2012.

[3] Para mais informações sobre os impactos do racismo estruturante do Estado brasileiro nos processos de titulação territorial quilombola, ver Conaq e Terra de Direitos. **Racismo e violência contra quilombos no Brasil**. Curitiba: Terra de Direitos, 2018. Disponível em: https://terradedireitos.org.br/uploads/arquivos/(final)-Racismo-e-Violencia-Quilombola_CONAQ_Terra-de-Direitos_FN_WEB.pdf. Acesso em: 5 ago. 2020.

[4] Foi importante neste processo de reflexão e desconstrução do racismo a minha participação no Grupo de Pesquisa Negras e Negros em Movimento, da Faculdade de Educação da Universidade Federal Fluminense, coordenado pela professora Maria das Graças Gonçalves.

[5] A história de enfrentamento do boi protagonizada por meu bisavô sempre me fascinou. Todavia, só compreendi sua dimensão e simbologia na luta pela terra de quilombolas da Rasa quando tive a oportunidade de estudar as questões fundiárias do Brasil, durante a minha participação no grupo de pesquisa Laboratório de Estudos em Movimentos Sociais, Trabalho e Identidade da Universidade Federal Fluminense (LEMSTI/UFF). Na pesquisa realizada pelo Laboratório com a Associação Quilombola da Rasa, para registro das memórias do quilombo, tive a oportunidade de construir outro olhar sobre a academia e me preparar para a realização do meu mestrado.

[6] Ver Bourdieu, Pierre. A ilusão biográfica. In: Amado, Janaína; Ferreira, M.M (orgs.). **Usos e abusos da história oral**. Rio de Janeiro: FGV, 2002.

[7] Para meu ingresso no movimento quilombola foi fundamental o incentivo e a parceria de minha querida tia Carivaldina (mais conhecida como Uia), liderança e presidente de honra da Associação Quilombola da Rasa, e de meu primo Adriano Gonçalves, diretor da Associação Quilombola da Rasa.

[8] Ver Goffman, Erving. **A representação do eu na vida cotidiana**. Petrópolis: Vozes, 2011.

[9] Elias, Norbert. **Escritos e Ensaios 1**: Estado, processo, opinião pública. Rio de Janeiro: Jorge Zahar Editor, 2006.

[10] Disponível em: https://app.uff.br/riuff/bitstream/1/9139/1/Disserta%C3%A7%C3%A3o%20Gessiane%20Naz%C3%A1rio.pdf. Acesso em: 8 ago. 2020.

[11] Despolitizando as ações pedagógicas antirracistas realizadas em "tarefinhas" que representam uma África estereotipada, sem sentido e desconectada da história das famílias das crianças quilombolas, em datas especiais como a Semana da Consciência Negra ou o 13 de Maio.

[12] Minha pesquisa de doutorado em Educação é desenvolvida na Escola Quilombola Dona Rosa Geralda da Silveira, na comunidade da Caveira, em São Pedro da Aldeia (RJ).

[13] Aqui faço referência à experiência que vivi ao participar do workshop de teses promovido pelo Instituto de Pesquisas Afro-Latino-Americanas de Harvard (Alari), que me motivou a escrever o texto "Uma quilombola brasileira em Harvard: reflexões sobre estigma e autoestima", no qual discorro sobre a sensação de que "aquele não era o meu lugar" e sobre como foi crucial a leitura de uma intelectual negra e feminista para que eu compreendesse aquela situação. O texto está disponível em: https://www.geledes.org.br/uma-quilombola-brasileira-em-harvard-reflexoes-sobre-estigma-e-autoestima/. Acesso em: 9 ago. 2020.

"Eu sempre fui atrevida": alguns movimentos de uma filha de Xangô na luta quilombola[1]

SANDRA MARIA DA SILVA ANDRADE
Mulher quilombola do Quilombo Carrapatos da Tabatinga, em Bom Despacho, Minas Gerais. Brincante do Moçambique, técnica de Contabilidade e cozinheira aposentada, é membro fundadora da Federação das Comunidades Quilombolas de Minas Gerais (N' Golo) e coordenadora executiva da Conaq.

ANA CAROLINA ARAÚJO FERNANDES
Antropóloga, mestre pela Universidade de Brasília, autora da dissertação *Do fogo e da justiça: Sandra Maria da Silva Andrade, movimentos de uma filha de Xangô na luta quilombola*. Aliada do movimento quilombola nacional, trabalhou como assessora da Conaq. Hoje é diretora do documentário *Dandaras: a força da mulher quilombola* (parceria com Amaralina Fernandes). Realizou algumas exposições fotográficas com a temática das mulheres quilombolas e outros universos de (re)existência negra.

> Como é, e o que é que a gente está tentando fazer pra reverter. Tem que falar. Porque se ficar só pondo nós chorando, chorando, sem fazer nada, o povo vai entender assim: "Esse povo fica chorando, e o que eles fizeram pra mudar?" Essa é a pergunta de muita gente que lê alguns livros. Não tá escrito. Ninguém relatou. De vez em quando, eu vou na academia quando eles me chamam, e é a primeira coisa que os alunos perguntam: "O que vocês estão fazendo para reverter?" Porque não tá escrito. Aí eu respondo: "Ó meu filho, nós já fizemos tanta coisa..."
>
> Sandra Maria da Silva Andrade.

Sandra Maria, filha de Sebastiana Geralda: escrevendo a história de liderança negra feminina do Quilombo Carrapatos da Tabatinga

Sandra Maria é mulher, negra e quilombola, e isso significa que ela pertence a uma comunidade etnicamente diferenciada, com seus valores e cultura próprios. Além disso, Sandra faz parte de uma classe social rotulada genericamente como pobre, pois possui uma renda econômica modesta. Essa condição a levou a morar, em toda a sua trajetória de vida, em lugares periféricos.

A Tabatinga, onde está localizado o Quilombo Carrapatos da Tabatinga, em Bom Despacho (MG), onde Sandra vive, é uma região considerada periférica, embora muito próxima do centro histórico da cidade. Na Tabatinga vivem majoritariamente pessoas de baixa renda, além de quilombolas, os primeiros habitantes da região, que já se encontravam instalados ali muito antes do processo de urbanização que desencadeou o crescimento populacional de Bom Despacho.

Além desses fatores elencados, é preciso ressaltar que Sandra também é umbandista. Faz parte de uma comunidade baseada em valores afro-religiosos, nasceu nesta religião e em nenhum momento considerou pertencer a outra.

Esses elementos – mulher, negra, quilombola, periférica, umbandista – são constitutivos da identidade e da personalidade da protagonista. São camadas de identidade que a própria Sandra enxerga em si, e pelas quais ela é vista socialmente. E foi percebendo-se e sendo percebida na sociedade a partir de uma ou mais dessas categorias combinadas que Sandra foi construindo sua identidade e sua postura diante do mundo.

Ela é filha do orixá Xangô, vinculação esta que, entre muitas outras coisas, lhe confere uma personalidade firme e até mesmo belicosa. No entanto, não se deve exclusivamente ao orixá a personalidade da quilombola. No quilombo de Sandra, majoritariamente constituído por mulheres, valores relacionados à altivez, ao dinamismo e à insubordinação são incentivados e vistos com bons olhos. Existe um termo utilizado pelos carrapatos da Tabatinga que denomina o oposto do que eles devem ser: "água-morna". Entre os quilombolas da Tabatinga, ser "água-morna" significa ser apático, sem reação, fraco. Quando uma pessoa carrapato se comporta como uma "água-morna" em alguma situação – em que se sentiu envergonhada, intimidada, deixou de falar algo ou simplesmente agiu com lentidão –, ela costuma ser repreendida pelas outras carrapatos.

Ser chamado de "água-morna" é uma brincadeira, mas é também uma forma de ofensa e repreensão. Existem aquelas pessoas de personalidade mais serena ou introspectiva, que também são considerados "água-morna". O pai de Sandra, por exemplo, às vezes é relatado dessa maneira, pois era "muito bonzinho". Já Dona Sebastiana, mãe de Sandra e principal referência da família, tem uma personalidade bem distante do que se pode chamar de "água-morna".

Dona Sebastiana era a matriarca dos carrapatos da Tabatinga. Pessoa responsável pela reconstituição do quilombo em seu atual território, Tiana, como também era chamada, demonstrava em várias de suas atitudes o apreço pela insubordinação e a recusa em assumir papéis inferiores preestabelecidos. Por isso, não aceitou ser babá dos filhos do patrão que maltratava sua família na fazenda em Bom Sucesso, onde ela nasceu e local originário do quilombo Carrapatos, e, já na Tabatinga, fundou seu reinado, tendo ela própria como capitã, posto tradicionalmente ocupado por homens. Por essa atitude Tiana teve de ouvir muitas críticas e enfrentar uma dose de problemas, que ela superou com altivez. Sebastiana era corajosa, se via assim, e zelava por essa reputação. Direta em suas palavras, assertiva como a flecha de seu orixá Oxóssi, afirmava que "a mulher não precisa ter medo de nada".

> Eu sou filha de Oxóssi. Tenho medo de nada, não; não tenho medo de tiro, não tenho medo de reza brava, não tenho medo de nada! Sou filha de Oxóssi. Eu sou das matas, hum. E olha lá, se eu não contar com ele, eu vou contar com quem?
>
> [...]
>
> Mas as mulheres mesmas podem se defender, uai. Quê isso?! Deixar abusado fazer o que quer só porque eu sou negra? Ah, é ruim! Que que é isso?
>
> Falar com você a verdade: mulher é mais forte que homem. Depende da hora e da união delas. Se as mulheres se unirem mesmo, minha filha, ih... arrebenta cerca de arame, arrebenta muro, arrebenta tudo. É, tem que parar com esse negócio de ter medo. Se a gente tá lutando por uma boa razão, hanham, não precisa de ter medo de nada não.

Em 2019, Sebastiana Geralda Ribeiro da Silva faleceu, deixando saudades em todos com quem cruzou em seus caminhos, mas, principalmente, muitos aprendizados. Este texto é dedicado à sua memória. Sebastiana sempre foi a principal inspiração para suas filhas. Vale lembrar que o Quilombo Carrapatos é formado principalmente por mulheres. Sebastiana só tem um filho homem, suas outras seis filhas são mulheres, e o nascimento de meninas continua predominando na família. Além disso, algumas das filhas e netas de Sebastiana são mães solteiras, perpetuando a maioria feminina na comunidade. Nascidas nessa família chefiada por uma mulher negra, responsável pela estabilidade financeira e espiritual de toda a casa, publicamente ativa, engajada em movimentos religiosos e políticos, as filhas de Dona Sebastiana tiveram na trajetória da mãe a principal referência de como se relacionar com o mundo externo ao quilombo. Como relata Sandra Maria:

> O exemplo é minha mãe, e Deus vai ajudar que ela fique... Eu não sei, lá em casa nós somos fortes porque ela é forte. Sem ela eu não sei se a gente vai continuar com essa fortaleza, porque ela é nossa vida, nossa inspiração, ela é nossa força. Eu tô aqui, mas tenho certeza que ela tá lá rezando por mim, que hora nenhuma ela se esquece da gente que tá fora. Ela acende uma vela, ela reza, ela fala: "Minha filha vai voltar, minha filha vai conseguir". Então essa é a verdadeira inspiração, a verdadeira força que faz eu estar aqui hoje.

Nos valores da religião do Quilombo Carrapatos da Tabatinga, a ideia da união é um princípio central para o fortalecimento das pessoas da comunidade. Sebastiana e todas as suas filhas quase sempre usam um cordão de miçangas brancas feito por ela em seu centro de umbanda, o qual indica que as mulheres da família fazem parte de uma *corrente*. O termo *corrente* é utilizado na umbanda para se referir aos médiuns da casa, no entanto, na casa de Dona Sebastiana, esse termo é expandido e se refere à própria família de Mãe Tiana, especialmente as primeiras descendentes. As contas de miçangas brancas têm muitos significados, entre eles, o da força através do elo.

O tema da união e seu poder para vencer obstáculos sempre é muito enfatizado por Sandra: "Lá em casa nós *faz* tudo é junto. Pra dar tudo certo, a gente tem que se unir", diz ela. Frequentemente, Dona Sebastiana levantava em seu discurso questões relacionadas à união e à má sorte, e à fraqueza que a falta da união pode trazer.

Uma das características da personalidade de Sandra, sempre mencionada por seus parentes e por colegas do movimento quilombola, é a sua bravura. Sandra é brava, e reconhece isso. Como ela mesma diz, às vezes "até evita ficar brava", porque quando acontece é para valer. Mas, muitas outras vezes, é justamente esse comportamento que faz as coisas acontecerem; que impede que ela, seus parentes e seu povo quilombola vivam situações de injustiça; que, enfim, traz soluções. Sandra não é uma "água-morna" – dificilmente seus parentes a descreveriam assim. Nas palavras de Goia, uma das irmãs de Sandra: "A baixinha é fogo!"

Os filhos de Xangô são considerados de temperamento forte, pertencentes ao elemento fogo, e podem agir de maneira colérica em algumas situações. Sandra e seus parentes conhecem a energia que a move. Reconhecem sua presteza para a justiça e também para as guerras. Às vezes, Sandra e seus parentes riem do seu próprio temperamento bravio. "Xangô é da machadinha, é bravo, por isso que eles falam que eu sou brava. Eu falo: é meu jeito de ser. E esse jeito meu é fogo, viu?", diz Sandra Maria, provocando risos. De maneira semelhante, a Yalorixá Mãe Stella de Oxóssi, mãe de santo no conhecido terreiro de candomblé baiano Ilê Axé Opó Afonjá, e sábia escritora, descreve o orixá Xangô como aquele de olhos sempre abertos e atentos, que usa sua arma contra a injustiça.[2]

No livro *Rebeliões da senzala* (1988),[3] o historiador Clóvis Moura explica que a rebeldia de alguns escravizados e quilombolas – os quais, na compreensão do autor, são aqueles que de alguma forma fugiram do esquema escravista – foi uma das forças motrizes para a mudança do sistema socioeconômico escravocrata. A recusa a se submeterem à escravidão e o combate aos senhores e seus representantes eram formas de "rebeldia ativa"[4] que, no interior daquela sociedade, causavam transtornos significativos para a classe senhorial. A negação da opressão por parte dos quilombolas não só incomodava os patrões, mas também impulsionava a sociedade a se mobilizar. Ainda de acordo com o autor,

> o escravo rebelde criava novos níveis de desajustes, novos elementos de assimetria social, pois, ao retardar o processo de produção, fazia com que, no polo intermediário, se desenvolvessem elementos que também impulsionavam a sociedade no seu sentido global para novas formas de convivência. Isto quer dizer que defluíam, depois, como reflexo da sua atividade rebelde, outras formas de comportamento "divergente" em camadas diversas [...].[5]

No caso das mulheres do Quilombo da Tabatinga, entre os familiares de Dona Sebastiana a rebeldia é uma forma de poder. Comportar-se de maneira rebelde e ativa contra desigualdades e formas de violência é um legado que a matriarca transmite para suas filhas, netas e netos. Dessa maneira, a família consegue forças para enfrentar as adversidades que a vida em sociedade lhes coloca. Provêm desse conjunto de informações morais a ideia positiva de atrevimento e revolta. Por exemplo, ao relatar uma situação de racismo que teve de enfrentar quando adolescente, Sandra assim se explicou: "Eu sempre fui um pouco atrevida, porque eu acho que o meu direito ninguém tira". De maneira parecida falava Dona Sebastiana, quando relembrava o momento em que se negou a trabalhar para os patrões da fazenda em Bom Sucesso: "Porque toda a vida muito revoltada eu fui. Eu, toda vida... não aceitava qualquer coisa não, fia".

Ao se colocarem como atrevidas ou revoltadas, as mulheres do Quilombo da Tabatinga evidenciam a existência de desigualdades e opressões sociais. E esse atrevimento e revolta não são simplesmente características de suas personalidades, são reações. Indicam um posicionamento ativo de crítica e negação diante de situações de injustiça, assim como a possibilidade e a necessidade de se estabelecerem relações mais justas, o que se evidencia quando Sandra fala sobre seu "direito" em eco à voz de Dona Sebastiana, que "não aceitava qualquer coisa". De modo ativo e rebelde, as mulheres da Tabatinga, aqui evidenciadas nas pessoas de Sandra e Sebastiana, têm construído suas trajetórias como exemplos dessa mudança social que provocam e que ainda está em construção.

O recente estudo apresentado por Sirlene Barbosa Correa Passold (2017)[6] sobre o conceito de beleza entre as mulheres da comunidade quilombola Puris, da cidade de Manga, no norte de Minas Gerais, apresenta algumas consonâncias em relação às ideias apresentadas sobre a valorização da altivez e da rebeldia entre as mulheres do Quilombo Carrapatos da Tabatinga. Sirlene Passold, que, além de mestra pela Universidade de Brasília, é quilombola, apresenta em sua dissertação de mestrado uma sugestiva análise sobre o conceito de beleza em sua própria comunidade.

Ao perguntar para as quilombolas do Puris como elas classificavam e identificavam as mulheres belas, Passold percebeu que os elementos elencados por suas interlocutoras eram, em sua maioria, referentes às atitudes dessas mulheres. Pouco se falava sobre características físicas que as mulheres bonitas deveriam ter. Observando as falas das mulheres de sua comunidade, e, nesse mesmo processo, fazendo um trabalho de auto-observação, Passold chega à conclusão de que para quilombolas do Puris o conceito de beleza passa por uma concepção moral e comportamental. Para ser bonita e admirada entre os Puris, a mulher tem de ser "desapocada". Nas palavras da mestra quilombola:

> [...] nós, mulheres do Puris, éramos educadas pelas nossas mães para não sermos "apocadas". De forma breve, podemos afirmar que ser apocada é correspondente a ser recatada e preparada para o lar, remetendo a uma condição de submissão da mulher.[7]

Nessa mesma pesquisa, Passold cita uma senhora de sua comunidade que sintetiza de maneira exemplar a concepção de "desapocamento" para as mulheres do quilombo Puris:

[...] ser desapocada, ter desenvolvimento, pra desenvolver de tudo, ser disposta. Não existe mulher mais bonita que a outra, não, porque *tudo tem sangue na veia; não tem boniteza, porque a boniteza é a disposição*, o desenvolvimento, inteligência, desapocada na hora da necessidade, né? [...] A apocada é aquela mulher que, na hora de desenvolver alguma coisa, ela fica ali no canto, quieta.[8]

Ao desenvolver seu pensamento, Passold afirma que o termo "desapocada" é uma categoria nativa que qualifica e incentiva as mulheres do Puris a serem resistentes, resilientes e criativas para lidar com as opressões vividas. Afinal, "ficar apocada aumentaria ainda mais o peso dessas opressões, nos conduzindo ao desempoderamento e à imobilidade".[9] Assim como ser "atrevida", ser "revoltada" ou não ser uma "água-morna" para as quilombolas de Carrapatos da Tabatinga, ser "desapocada" para as mulheres do Puris significa recusar ativamente assujeitamentos.

Os desafios da representação política de mulheres negras e quilombolas

Sandra e Sebastiana são lideranças do movimento quilombola; devido a isso, inserem-se muitas vezes em situações relacionadas ao universo da política representativa. Nesses lugares, mãe e filha são minorias em vários quesitos; raça, gênero e classe são alguns deles. Quando se encontram em tais situações, os ensinamentos de Sebastiana sobre atrevimento e rebeldia são bons aliados para não se diminuírem e conseguirem comunicar-se nesses espaços.

Além da temática da raça, ainda há de se considerar que dentro desses espaços de poder, assim como entre quilombolas, a presença de Sandra e de outras lideranças femininas é minoria em lugares de influência e decisão. A filósofa Sueli Carneiro, em um artigo sobre as mulheres negras e a política, identifica alguns obstáculos à presença dessas mulheres nos ambientes de poder. Entre alguns deles, Carneiro menciona o racismo e o machismo presentes na sociedade como as principais barreiras para essa forma de ascensão feminina. Segundo ela:

> O racismo é assim, cruel. Ao instituir a superioridade de um grupo racial e a inferioridade de outro, gera diversas perversidades. A excelência e a competência passam a ser percebidas como atributos naturais do grupo racialmente dominante, o que naturaliza sua hegemonia em postos de mando e poder.[10]

E isso causa o que Carneiro denomina "asfixia social", que tem entre as mulheres negras suas principais vítimas.[11]

Nesse texto, escrito a convite da Secretaria Especial de Política para Mulheres do Paraná, Carneiro aponta que o tema "mulheres negras e política" requer um estudo sobre as ausências. Indica ainda que, de maneira perversa, o racismo e o machismo operam no imaginário social a tal ponto que a participação de mulheres negras em instâncias de poder seja sempre vista como uma exceção e, recorrentemente, com certo contorno de inadequação. Sueli Carneiro menciona como exemplo os diversos ataques que sofreram mulheres como a ex-ministra Matilde Ribeiro e a deputada Benedita da Silva quando ocuparam cargos de destaque na carreira política representativa.

Carneiro observa que a inclusão das mulheres negras em instâncias de poder está fortemente ligada a uma disputa de imaginários, e adverte que é preciso mudar a imagem social dessas mulheres. Para isso, é necessário romper com paradigmas estereotipados do passado, que atuam desqualificando as mulheres negras, por serem frutos de construções culturais de uma sociedade racista.[12]

A historiadora Cristiane Portela também corrobora a necessidade de mudança do imaginário social sobre as mulheres pertencentes a grupos étnicos, entre elas as quilombolas. Portela descreve que mulheres pertencentes a grupos étnicos são retratadas ainda no imaginário social como exóticas e subalternas. Aquelas que conseguem projeção política ou social são vistas como uma espécie de exceção à regra, reforçando a lógica perversa de opressão da sociedade racista.[13]

No movimento quilombola, as mulheres ainda ocupam um lugar de minoria em relação ao reconhecimento público e ao destaque dado ao seu engajamento. O movimento quilombola, embora apresente suas particularidades, não deixa de ser um local de atuação política inserido numa sociedade em que o protagonismo de mulheres em ambientes de poder não é comum. As mulheres que se destacam em nossa sociedade ainda são minoria num universo povoado por homens.

A luta por representação política igualitária entre homens e mulheres nos movimentos sociais é uma pauta presente no Brasil com mais solidez a partir dos anos 2000, mas que ainda hoje enfrenta desafios para a sua efetivação. A Central Única dos Trabalhadores (CUT), por exemplo, movimento social de ampla dimensão, instituiu sua política de paridade de gênero 50/50 nos cargos de direção somente a partir de 2012. Já a Confederação Nacional dos Trabalhadores na Agricultura (Contag), outro movimento social com ampla representação e 53 anos de existência, elegeu apenas recentemente, em 2017, sua primeira diretoria respeitando a paridade 50/50 entre homens e mulheres.[14]

Os dados sobre a expressividade numérica de mulheres que já ocuparam cargos de decisão nos movimentos sociais no Brasil, até o momento, não estão organizados em nenhum documento de fácil acesso. No entanto, tendo como base essas mudanças recentes nos movimentos sociais de caráter misto de grande representação nacional, podemos concluir que nesses movimentos as mulheres, até o momento, vinham sendo sub-representadas,[15] de maneira parecida ao que ocorre no movimento quilombola.

As mulheres quilombolas têm se organizado para mudar a composição interna de seu movimento. Frequentemente, constatam um descompasso no nível dos cargos de representação política, pois, enquanto são protagonistas em suas próprias comunidades, atuando como lideranças ativas, muitas vezes ficam de fora dos quadros de representação organizada dos movimentos sociais, em diferentes níveis, municipal, estadual e nacional. Neste relato de Sandra Maria, fica evidente a exclusão e a falta de reconhecimento do papel das mulheres.

> A maioria das mulheres são as presidentes das associações comunitárias quilombolas; a maioria das mulheres são as que estão lá na agricultura plantando, e elas estão sempre à frente de seus empreendimentos, tanto faz, seja na agricultura, na plantação, na casa, tá cuidando das crianças. Então as mulheres têm um papel de destaque mesmo estadual e nacional também. O machismo também impera dentro das comunidades; elas sempre fizeram, só que o homem é que levava, né?[16]

Com os relatos das lideranças quilombolas entrevistadas é possível perceber que, para as mulheres pertencentes a grupos de minorias étnicas ou que se articulam em outros movimentos sociais de caráter misto, a projeção como sujeito político tem alguns complicadores.

Mulheres de comunidades que são marginalizadas por seu pertencimento racial e/ou cultural e por sua situação econômica têm se organizado ativamente, em pequena ou grande escala, a fim de modificar suas condições de vida. Para isso, enfrentam não só alguns obstáculos que as mulheres de elite também enfrentam, como também outros problemas que lhes são exclusivos. Um desses problemas exclusivos decorre do compromisso com seus grupos sociais ou nacionais, que é por vezes usado como justificativa para reprimir qualquer crítica sobre práticas inadequadas ou falhas que poderiam atrair atenção negativa sobre o grupo.

Usos emancipatórios da interseccionalidade: mulheres quilombolas e o cruzamento das lutas de movimentos étnicos e movimentos de mulheres

O movimento feminista negro norte-americano trouxe para o campo dos estudos feministas a categoria da "interseccionalidade". Esse termo, criado pela advogada, professora e pesquisadora afro-americana Kimberlé Crenshaw, surgiu como uma maneira de demonstração e evidência do fato de que algumas formas de violência e discriminação podem se intercruzar, somando-se e tornando mais complexas situações de desigualdades a que alguns grupos de pessoas podem estar submetidos socialmente. O conceito é classicamente utilizado para a demonstração das imbricações entre as categorias gênero, raça e classe, e como elas podem influir sobre as mulheres negras. No entanto, o conceito de interseccionalidade é amplo e pode ser utilizado para casos em que outras combinações entre a vivência de minorias sociais e formas de violência podem estar relacionadas.

Para o caso das mulheres quilombolas, além dos recortes de gênero, raça e classe, é essencial que seja considerado o fator etnia. Poucos estudos foram feitos relacionando as imbricações entre as questões da identidade étnica e a condição de mulheres negras, em sua maior parte de baixa renda, que as quilombolas representam. Feministas negras brasileiras, hoje lidas como clássicas, como Lélia Gonzalez, já chamavam a atenção para a necessidade desse tipo de estudo, que considera o fator etnia entre as especificidades de vida das mulheres do Brasil, especialmente as negras e indígenas.

No fim dos anos 1980, período anterior ao clássico estudo de Crenshaw, no qual a norte-americana lançou o conceito de interseccionalidade (1991),[17] Lélia Gonzalez, após retornar de experiências de diálogo com outras feministas latino-americanas, dedicou-se a escrever textos e a fazer palestras divulgando as especificidades e as diversidades das mulheres negras e indígenas entre os países deste continente. Gonzalez lançou o termo "amefricanas" para tratar das experiências negras latino-americanas e fez uma série de recomendações tanto ao movimento negro quanto ao movimento de mulheres.

É importante chamar atenção para o fato de que, no quadro das profundas desigualdades raciais existentes no continente, se inscreve a desigualdade sexual, e de forma muito bem articulada. Trata-se de uma discriminação em dobro com as mulheres não brancas da região – as amefricanas e as ameríndias. O duplo caráter da sua condição racial e sexual faz com que elas sejam as mulheres mais oprimidas e exploradas em uma região de capitalismo patriarcal-racista dependente. Justamente porque esse sistema transforma as diferenças em desigualdades, a discriminação que ameríndias e amefricanas sofrem assume um caráter triplo dada a classe social a qual pertencem, o proletariado afro-latino-americano, em sua maioria. Nessa conjuntura, Lélia Gonzalez lança luz sobre a importância da atuação dos movimentos étnicos (ME) na esfera dos movimentos sociais.[18]

A relevância do estudo do fator etnia tanto no movimento negro quanto no movimento de mulheres proposto por Gonzalez faz eco ao protagonismo feminino quilombola e suas articulações de mulheres nesses espaços, criticando lugares de sub-representação e chamando atenção para a necessidade de reconhecimento igualitário. Aos poucos, os movimentos negros, de mulheres feministas – negras e brancas – e os próprios movimentos étnicos, como o quilombola, vêm atentando para a relevância da consideração da luta, trajetória e engajamento das mulheres quilombolas, assim como para a necessidade da inclusão de suas formas de vivência e perspectiva na construção de um paradigma de vida socialmente justo.

Além de Lélia Gonzalez, outras autoras feministas latino-americanas enfatizaram a necessidade da inclusão da pauta étnica para a compreensão das formas de vida das mulheres da América Latina, pois, como indicam, as sociedades desse continente têm formações sociais pluriétnicas que não devem ser negligenciadas.[19]

As sociedades latino-americanas, devido a seu histórico de colonização, constituíram-se como comunidades pluriétnicas. Em diversos países pertencentes a esse conjunto, grupos étnicos como indígenas, quilombolas, marrons, cimarrones, palenques, entre muitos outros, têm se relacionado há séculos com diversos grupos da comunidade nacional. Esses grupos, que aos poucos vêm conseguindo reconhecimento oficial do Estado sobre sua existência e direitos específicos, têm suas demandas características, como o direito à ocupação e à titulação de seus territórios tradicionais, mas também vêm apresentado demandas emancipatórias convergentes com as de outros grupos sociais, como no caso das mulheres. Recomendam algumas autoras afro-latino-americanas que os movimentos sociais, negros e de mulheres incorporem essas realidades diversas para não incorrerem no erro da generalidade e, assim, invisibilizar outras minorias. Como afirma Lélia Gonzalez,[20] "o feminismo latino-americano perde muito da sua força ao abstrair um dado da realidade que é de grande importância: o caráter multirracial e pluricultural das sociedades dessa região".[21] Os desafios dos movimentos sociais, como explica a autora, exigem criatividade, compromisso e proposta, para que internamente procurem se revitalizar garantindo a democracia interna e novas formas de interrelação entre seus integrantes.

Nas últimas décadas, os estudos sobre interseccionalidade têm se fortalecido. Pesquisadoras e pesquisadores de vários países buscam demonstrar como alguns grupos de pessoas têm sofrido violências e discriminações devido ao cruzamento entre suas condições de vida e formas de desigualdades sociais. No entanto, Patricia Hill Collins, pesquisadora e feminista afro-americana, em artigo publicado sobre a aplicabilidade do conceito nos últimos anos, questiona se as ideias que originaram essas formas de estudo têm sido levadas em consideração por pesquisadoras e pesquisadores que utilizam o conceito. Collins se pergunta se não está sendo feito um uso seletivo da teoria, deixando-se muitas vezes de lado uma de suas motivações centrais: o compromisso com a construção de sociedades justas.[22]

Neste provocador artigo intitulado "Se perdeu na tradução? Feminismo negro, interseccionalidade e política emancipatória", Collins afirma que uma postura de comprometimento e certo *ethos* de justiça social permeava os trabalhos dessas pesquisadoras/ativistas que cunharam a perspectiva interseccional.[23] Observando que os espaços e a *práxis* nas universidades têm se tornado cada vez mais individualistas e fortemente relacionados a comportamentos de ideologia neoliberais, Collins se questiona sobre a efetividade dos estudos que podem surgir desse universo.[24]

Collins explica que as pesquisadoras que demonstraram o conceito de interseccionalidade tinham uma motivação em suas pesquisas ligada a um comprometimento coletivo de mudança. O fato de procurarem demonstrar os vários tipos de violências incidentes sobre certos grupos de pessoas era, antes de tudo, uma proposta de libertação de opressões, e não o congelamento resignado de condições de vida desiguais. As pesquisas dessas acadêmicas tinham uma forte proposta de ação, de forma a contribuir para mudanças sociais.[25]

Enquanto Collins faz alertas importantes para pesquisadoras e pesquisadores que podem estar utilizando as ferramentas de análise propostas pelo pensamento interseccional, as quilombolas, por sua vez, se dedicam à construção de possibilidades de vida socialmente justas para elas, em toda a sua diversidade, e também para seu povo, pois a luta quilombola é uma luta coletiva, e essa constatação sempre está no horizonte de suas lideranças femininas.

Caso seja possível se falar num feminismo negro quilombola, pois há que se considerar que muitas delas não se reconhecem como feministas, pode-se afirmar que elas não operam em uma lógica individualista. A ideia de grupo, *de povo*, é muito forte. Não é raro ouvir de lideranças quilombolas a expressão "nosso povo", demonstrando assim que a luta quilombola é um projeto de emancipação coletiva, imensurável e também ancestral.

Enquanto integrante da luta quilombola, Sandra Maria segue, junto e em movimento. Alicerçando conquistas com a força da justiça de Xangô e a sabedoria da herança ancestral que recebeu de sua mãe, Sebastiana de Oxóssi, mãe grande do movimento quilombola. Xangô que é fogo e que transmuta as coisas é vivo em Sandra e em seus movimentos pelo mundo, questionando injustiças e construindo realidades dignas para seu povo quilombola.

Notas

[1] Este texto é baseado na dissertação de mestrado de Ana Carolina Araújo Fernandes, intitulada **Do fogo e da justiça**: Sandra Maria da Silva Andrade, movimentos de uma filha de Xangô na luta quilombola, defendida no departamento de Antropologia da Universidade de Brasília em setembro de 2017.

[2] "É Sàngó, Deus do Trovão, Orisa de Olhos de Orogbo, sempre abertos e atentos, que com Sua voz rouca grita para que nos levantemos e, como guerreiros, enfrentemos as lutas de cada dia. Sángò, um orisa colérico que sabe usar a arma que Olorum Lhe deu, a cólera, a fim de ter a força necessária para empreender pequenas e grandes batalhas. Pois o amor é belo e sublime, mas é a força da cólera gerada pela indignação que, sobre o controle racional, capacita o homem para lutar contra as injustiças, individuais e coletivas." Santos, Maria Stella de Azevedo; Peixoto, Graziela Domini. **O que as folhas cantam (para quem canta folha)**. Brasília: Instituto Nacional de Ciência e Tecnologia de Inclusão no Ensino Superior e na Pesquisa (INCTI), 2014. 272p.: p. 49.

[3] Moura, Clóvis. **Rebeliões da senzala**. 4. ed. Porto Alegre: Mercado Aberto, 1988.

[4] Id., Idid.

[5] Id., Idid., p. 270.

[6] Passold, Sirlene Barbosa Correa. **Desapocadas**: concepções de beleza e conhecimentos tradicionais de mulheres quilombolas do Puris-MG. Dissertação de Mestrado. Universidade de Brasília, Brasília, 2016.
[7] Id., Ibid.: p. 74.
[8] Entrevista concedida por Dona Regina, no Quilombo Puris, 2016 apud Passold, Sirlene Barbosa Correa. **Desapocadas**: concepções de beleza e conhecimentos tradicionais de mulheres quilombolas do Puris-MG. Dissertação de Mestrado, Universidade de Brasília. Brasília, 2016, p. 97.
[9] Id., Ibid., p. 101.
[10] Carneiro, Sueli. Mulheres negras e poder: um ensaio sobre a ausência. **Revista do Observatório Brasil da Igualdade de Gênero**. Secretaria Especial de Políticas para as Mulheres, Brasília, 2009, p. 52.
[11] Ibid.
[12] Id., Ibid.
[13] Portela, Cristiane A. Gênero, etnicidade e suas interseccionalidades: narrativas Kura-Bakairi na Universidade de Brasília. In: Stevens, Cristina et al. **Mulheres e violências**: interseccionalidades. Brasília, Technopolitik, 2017. p. 425
[14] Ver Contag elege nova diretoria em Congresso Nacional. **MST**, 22 mar. 2017 Disponível em: https://mst.org.br/2017/03/22/contag-elege-nova-diretoria-em-congresso-nacional/. Acesso em: 13 ago. 2020.
[15] Um estudo dos anos 1990 indica que: "No nível da representação das mulheres nas centrais sindicais, os dados disponíveis para a Central Única dos Trabalhadores (CUT) indicam que, em 1988, mais de um quarto dos filiados eram mulheres. Mas as eleitas para a Direção Nacional não ultrapassavam 10%, e apenas uma delas estava na Executiva". Castro (1990) apud Souza-Lobo, Elisabeth. O gênero da representação: movimento de mulheres e representação política no Brasil (1980-1990). **Revista Brasileira de Ciências Sociais**, 1991, p. 6.
[16] Fernandes, Ana Carolina Araújo. **Do fogo e da justiça**: Sandra Maria da Silva Andrade, movimentos de uma filha de Xangô na luta quilombola. Dissertação de Mestrado, Departamento de Antropologia da Universidade de Brasília, Brasília, 2017. p.190-191.
[17] O termo é proposto pela autora pela primeira vez no texto "Mapping the margins: intersectionality, identity politics and violence against women of color", de 1991. Crewshaw reconhece ter criado o termo – ou a "metáfora", como já explicou em algumas situações –, mas admite que o debate acerca de formas sobrepostas de violência incidentes sobre mulheres negras ficava circunscrito ao círculo de intelectuais afro-americanas desde o fim do século 19. Algumas explicações sobre o contexto de criação da categoria e algumas explicações da própria autora sobre o tema podem ser encontradas na entrevista "Kimberlé Crenshaw on intersectionality: 'I wanted to come up with an everyday metaphor that anyone could use'". Traduzido no site da ONG Geledés, disponível em: https://www.geledes.org.br/kimberle-crenshaw-

[18] sobre-intersecionalidade-eu-queria-criar-uma-metafora-cotidiana-que--qualquer-pessoa-pudesse-usar/. Acesso em: 29 ago. 2017.
Gonzalez, Lélia. Por um feminismo afro-latino-americano. **Revista Isis Internacional**, 1988, Santiago, v. 9, p.133-141.

[19] "A questão da identidade da mulher negra é uma realidade que não pode ser deixada de lado. O discurso da diversidade e do pluralismo deve se converter em parte das nossas agendas. Temos que trabalhar para um modelo de desenvolvimento que avance a reafirmação, o reconhecimento e o respeito para com as identidades étnicas, raciais e de gênero. *À medida* que que nosso trabalho avança, nossa esperança cresce." (Tradução livre de Ana Carolina Fernandes.) Texto de Sergia Galván, intelectual negra dominicana, escrito para o *Boletín Cimarronas*, n. 6, 1999. Disponível no site *Minga Informativa de Movimentos Sociales.*

[20] Gonzalez, Lélia. Por um feminismo afro-latino-americano. **Revista Isis Internacional**, 1988, Santiago, v. 9, p.133-141.

[21] Gonzalez, Lélia. Por um feminismo Afro-latino-Americano. In: Círculo Palmarino. **Caderno de Formação Política do Círculo Palmarino**, São Paulo, n.1, p.12-20, 2011.

[22] Collins, Patricia Hill. Se perdeu na tradução? Feminismo negro, interseccionalidade e política emancipatória. Trad. Bianca Santana. **Revista Parágrafo**, v.5, n. 1, 2017.

[23] Id., Ibid.
[24] Id., Ibid.
[25] Id., Ibid.

Quilombo Pau D'arco e Parateca: quando as vozes negras se (re)envolvem na construção de caminhos para a participação coletiva

VALÉRIA PÔRTO DOS SANTOS

Mulher quilombola do Quilombo Pau D'arco e Parateca, em Malhada, Bahia. Graduada em Engenharia Agronômica pela Universidade do Estado da Bahia e mestre em Sustentabilidade junto a Povos e Terras Tradicionais pela Universidade de Brasília.

SEMPRE AO ESCREVER A respeito do meu quilombo, Pau D'arco e Parateca,[1] terra onde nasci e fui criada, tenho um sentimento de orgulho de todas as pessoas que lutaram e daquelas que já tombaram abrindo caminhos para que hoje eu tivesse a oportunidade de escrever a nossa história. Ressalto minha gratidão por todas elas e escrevo hoje em nome das mulheres quilombolas que não puderam pleitear esse espaço. É preciso escrever, falar das mulheres que trabalham, sonham, conversam, sentem e fazem a diferença em seus lares e na vida comunitária. Falar de agroecologia, por exemplo, como forma de sobrevivência, e não falar das mulheres, as grandes construtoras do saber agrícola, é deixar de fora o grande pilar dessa prática.

Apesar da participação de destaque das mulheres quilombolas no trabalho e na luta política dos quilombos, na maioria das vezes elas não aparecem como protagonistas nas histórias contadas ou nas poucas escritas. Muitas vezes, a formação política de base, aplicada no dia a dia de tantas comunidades, não evidencia o protagonismo das mulheres. Por isso, nas nossas escritas afirmamos e reafirmamos que existimos. O grito ecoa de todas as partes, lembrando que o quilombo existe, que o Brasil também é quilombola e que nossa voz é negra. Uma voz ressoada por mulheres negras quilombolas.

Neste texto, relato um pouco da vivência de luta das mulheres agricultoras do Quilombo Pau D'arco e Parateca, no município de Malhada, Bahia. Essas mulheres tentam garantir autonomia desenvolvendo iniciativas de geração de renda e de empoderamento feminino pela produção agrícola. As práticas agroecológicas são por elas utilizadas como formas de organização coletiva e afirmação dos princípios de soberania, solidariedade e justiça social.

Através de uma abordagem baseada em pesquisa-ação, procurei conhecer e intervir sobre a realidade do quilombo.[2] Conduzindo uma pesquisa participante, procurei desenvolver os princípios cooperativos da pesquisa-ação em interação direta com a coletividade pesquisada e me envolvendo com ela na busca por soluções para os problemas coletivos objetos do estudo. Neste caso, a pesquisa-ação tem a vertente de participação e cooperação reforçada na medida em que, como pesquisadora, também faço parte da coletividade.[3] Para a execução da pesquisa foi realizado um estudo exploratório e descritivo de natureza qualitativa, em que coletei dados durante a observação em campo, oficinas, palestras, seminários e rodas de conversa. Lancei mão de métodos diferentes, qualitativos e quantitativos,[4] considerando aqueles que mais se adequavam às questões de pesquisa. Numa primeira etapa, foram realizadas rodas de conversa com foco nas mulheres do quilombo. A seguir desenvolvo mais detalhadamente os principais resultados das rodas de conversa.

Rodas de conversa com grupos de mulheres: identificando problemas e construindo soluções coletivas através de pesquisa-ação

As rodas de conversa com as mulheres foram organizadas com o objetivo de observar as áreas, identificar problemas concretos e checar a possibilidade de novas intervenções. A realização de rodas de conversa permitiu alcançar resultados satisfatórios uma vez que houve uma boa interação nas discussões com os grupos de mulheres das comunidades de Pau D'arco e de Parateca. Foi possível apresentar as teorias e pensar junto com as mulheres participantes formas de aplicá-las na prática.

Na comunidade de Pau D'arco, um fator positivo foi que o grupo de mulheres estava passando por um processo de reativação. Resultados mais eficazes para alguns problemas foram sendo obtidos à medida que foi possível engajar mais mulheres nas questões coletivas. Tal fato as fortaleceu, contribuindo para alguns processos, como a elaboração de propostas de projetos voltados para geração de renda.

Nas rodas de conversa desenvolvidas com o grupo de mulheres da comunidade de Pau D'arco foi possível refletir sobre o processo agroecológico e a importância de restruturação das atividades desenvolvidas em uma horta cultivada às margens da lagoa, onde um pequeno grupo conseguia trabalhar e produzir bem. Discutimos assim a possibilidade de ampliar o trabalho da horta e talvez migrar para uma área maior com fácil acesso a um poço artesiano. Em visita à beira da lagoa, foi possível repensar com as participantes o espaço de trabalho e as possibilidades de reformulação ou migração da horta.

"Precisamos pensar juntas como vamos conseguir montar nossas hortinhas, vender e ganhar um dinheiro, pois coragem pra trabalhar nós temos", disse Ilda Silva durante a roda de conversa em Pau D'arco.

As conversas sempre aconteceram de forma articulada, integrando a discussão de problemas e soluções entre o grupo de mulheres de Pau D'arco e o de Parateca. Ao potencializar o diálogo e a construção da relação entre as dificuldades vividas nessas duas comunidades, foi possível compartilhar as perspectivas e as propostas de soluções coletivamente. Essa técnica mostrou-se importante para estimular as perspectivas de desenvolvimento e trabalho em conjunto entre a mulheres. A fala de Eunice Melo, uma das participantes das rodas de conversa em Pau D'arco, ecoa essa noção de coletividade e colaboração entre as integrantes da comunidade: "Vá, nós tamo contando com você pra ajudar nós avançar com associação que tamo criando. O bom que aos poucos vai chegando mais mulheres e vamos crescendo a nossa área produtiva. Vamos plantar de tudo, de tudo mesmo".

O grupo de mulheres de Parateca tem uma associação que apesar de constituída há quase dez anos ainda não foi contemplada com projetos para a geração de renda e para o desenvolvimento da comunidade.

No momento da pesquisa, as mulheres da comunidade de Parateca desenvolviam atividades produtivas numa horta que atendia toda a comunidade. Elas relataram trabalhar utilizando práticas agroecológicas como a aplicação de extrato vegetal para o controle de insetos prejudiciais às hortaliças e que, além disso, todo processo produtivo de atividades de manuseio era organizado e realizado primordialmente pela coletividade.

É interessante notar que nem sempre as pesquisas realizadas com esse grupo de mulheres e demais agricultores nomeia sua prática como agroecológica. No entanto, conforme explicou Dona Bibia em uma roda de conversa em Parateca, as práticas agrícolas dos grupos de mulheres são inegavelmente agroecológicas: "Nós aqui não joga nenhum veneno. Tudo que nós fazemos é natural. É muito difícil a gente perder algum canteiro porque inseto atacou".

As reflexões com o grupo de mulheres de Parateca voltaram-se para a necessidade de reformular o espaço da horta, onde não havia uma disponibilidade de água adequada, o que dificultava a irrigação dos canteiros, trabalho feito pelas mulheres. No momento da roda de conversa, discuti com elas a possibilidade de construirmos o Sistema de Produção Agroecológica Integrada e Sustentável (Pais). A ideia foi bem aceita, e em visita de campo tivemos a oportunidade de discutir como poderíamos executar essa implantação, que seria realizada posteriormente à pesquisa.

A agroecologia no entrelaçar do saber popular com o conhecimento científico

Descrever a partir do meu olhar enquanto mulher quilombola, e de uma perspectiva atenta à transdisciplinaridade, exige que se dialogue com um contexto marcado por um sistema estruturalmente opressor, machista e racista. É preciso assim entender o lugar de fala das protagonistas desta pesquisa.

Existe uma falsa ideia de que quilombos referem-se a negros apartados da sociedade ou escravizados refugiados. No entanto, a característica marcante do quilombo não é o isolamento e a fuga, mas a resistência e a autonomia. Segundo Eliane Cantorino O'Dwyer, os quilombos "consistem em grupos que desenvolveram práticas cotidianas de resistência na manutenção e reprodução de seus modos de vida característicos e na consolidação de um território próprio".[5] Dessa forma, as comunidades remanescentes de quilombos devem ser compreendidas como grupos sociais cuja identidade étnica os distingue do restante da sociedade.

No Brasil, o conceito de quilombo é bastante amplo, sobretudo desde a revisão historiográfica realizada pela antropologia. Essa renovação conceitual sinaliza um movimento contemporâneo em busca da construção de uma narrativa que considera que a forma de organização quilombola no território brasileiro se efetivou de maneira dinâmica.[6]

Refletir sobre o dinamismo com que os quilombos se organizam e reproduzem seus modos de vida implica pensar na construção do conhecimento e dos saberes locais preservados e repassados entre as diferentes gerações rurais tradicionais. É urgente que a cultura científica e os saberes tradicionais dialoguem, no intuito de construir estratégias, mesmo que estas operem por lógicas distintas. Olhar a reprodução dos modos de vida e os processos de resistência dos povos quilombolas através da agroecologia é uma maneira privilegiada de testemunhar e aprofundar esse diálogo de saberes.

Apesar de não ser necessariamente uma prática nomeada em comunidades tradicionais, a agroecologia é uma ciência que valoriza o conhecimento agrícola tradicional, desprezado pela agricultura moderna.[7] Também é considerada um conhecimento que proporciona base científica (ou não científica) para apoiar o processo de transição para uma agricultura sustentável e sustentada em suas diversas manifestações ou denominações. O principal indicador deve ser o bem-estar da população, e não a produção econômica. Então, o que deve ser avaliado é a valorização das ruralidades, a reciprocidade, o reconhecimento das particularidades dos grupos sociais, a igualdade geracional e de gênero, a admissão de papéis sociais dinâmicos e o respeito às construções socioculturais em suas dinâmicas contemporâneas. Tudo isso estimula o consumo consciente e sustentável, além de inserir práticas educativas nos diferentes espaços comunitários.

Quando tratamos da questão territorial é importante considerarmos as relações de gênero e o desenvolvimento como uma construção social, resultante de uma prática social em que interesses distintos entram em cena. Trata-se não só dos interesses econômicos presentes nas relações entre classes sociais, mas também de demandas de diferentes segmentos sociais.[8] A segregação e a hierarquização nas relações estabelecidas pela divisão de gênero também estão presentes no mundo rural, fato perceptível, por exemplo, quando se reconhece somente o protagonismo dos homens em atividades agrícolas. Nós, mulheres rurais, que sempre trabalhamos em nossos quintais produtivos, não temos esses espaços reconhecidos como *locus* de produção.

Historicamente, foi a mulher quem planejou, implementou e quem cuida até os dias de hoje do quintal, que de forma silenciosa alimenta a família. As mulheres, além de desempenharem um papel muito importante na produção familiar, principalmente no quintal ou na roça, em muitos casos também vendem sua força de trabalho como assalariadas, assumindo outras atividades produtivas. É preciso que essa realidade seja visível, a fim de construirmos políticas públicas que promovam igualdade de gênero para as mulheres e o suporte técnico para os diversos quintais produtivos. Esse seria um dos caminhos para a promoção do desenvolvimento rural sustentável.[9]

Mulheres quilombolas e agroecologia

Se alguém tiver a intenção de tentar compreender a agroecologia na perspectiva das mulheres quilombolas, precisará pôr os pés nas comunidades e vivenciar seu cotidiano. No caso da minha pesquisa, eu pertencia à comunidade e ao grupo analisado.

Com base na minha vivência, no conhecimento acadêmico adquirido sobre agroecologia e no conhecimento empírico advindo da minha ancestralidade, pude pensar na possibilidade de pesquisar e compreender esses grupos de mulheres, e tive a oportunidade de observar e escutar os seus anseios e verificar o forte impacto da agroecologia na vida de cada uma. A agroecologia nasceu e permanece como parte da história delas enquanto mulheres quilombolas, e como parte de um processo de construção da identidade desenvolvido no universo rural, através da transmissão dos saberes populares e das alternativas geradas pela coletividade para assegurar direitos básicos que lhe são negados.

Ao conduzir o trabalho dentro da abordagem da pesquisa-ação, os momentos vividos em comunidade com a família e com as amigas foram observados sob um olhar que tentava travar um diálogo efetivo entre os saberes tradicionais e o conhecimento científico.

Na construção desse diálogo de saberes, procurei chamar a atenção do grupo de mulheres de Parateca para o fato de terem uma associação fazia aproximadamente dez anos e, ainda assim, não conseguirem acessar projetos para a subsistência e a geração de renda, além de não reivindicarem políticas públicas. Elas mencionaram que a associação não era regularizada, pois não estavam quitando as dívidas jurídicas geradas por seu registro. No grupo de Pau D'arco, enfatizei que havia muito tempo elas desenvolviam atividades produtivas no quilombo, mas nunca buscaram se formalizar através de uma associação, fundada com o nome que elas escolhessem e que lhes desse autonomia para construir projetos próprios e requerer políticas públicas.

Nesse processo provocativo, no decorrer da realização das atividades, fui aos poucos construindo a minha compreensão do que significa "ser mulher quilombola", levando em consideração os desafios e as dificuldades do contexto, como: formalizar ou não o grupo de mulheres através de uma associação; afirmar a comunidade e o protagonismo de mulheres sem que a igualdade de gênero seja reconhecida como um direito; e formular e entender toda uma vivência de trabalho árduo nos quintais e nos roçados como um processo teoricamente identificado como agroecologia.

O desafio parece ser, então, o de ter consciência de que a atividade das mulheres quilombolas é uma forma de saber, um fazer específico delas, o qual devemos preservar mesmo que a academia não o registre, e reivindicar que o poder público o valorize e subsidie ações que o favoreçam. É um caminho difícil e complexo refletir sobre essas práticas do meu lugar, do interior da comunidade, mas que também assume o olhar de quem está fora dela. É desafiador compreender essa trajetória das mulheres quilombolas e o saber agroecológico entrelaçado na busca por existir, resistir e viver. Por isso, é importante continuar insistindo na escrita, nas observações empíricas e acadêmicas, fazendo as vozes ecoarem em diferentes espaços, a partir do lugar de fala que nos constitui.

O saber tradicional traduzido nas práticas e fazeres das mulheres quilombolas, a exemplo do conhecimento das plantas medicinais, evidencia um diálogo profundo com os princípios da agroecologia. É extremamente importante pensar nas políticas direcionadas às práticas agroecológicas. As mulheres quilombolas investem na agroecologia porque esse conhecimento há muitas gerações é repassado entre elas; por isso, muitas apresentam uma habilidade indiscutível na atividade. É preciso entender as demandas dessas mulheres, que valorizam o autoconsumo, que são responsáveis pela alimentação de toda a família a partir dessa atividade e desempenham um papel relevante no que se tem denominado economia solidária. A ideia generalizada, baseada em papéis tradicionais de gênero, de que o trabalho é da família mas o rendimento é do homem exclui as mulheres e o seu protagonismo como geradoras de renda.

O direito à terra e ao território é uma condição para a agroecologia. A agroecologia toma forma na luta, na resistência e nas alternativas desenvolvidas pelas pessoas que a constroem e que a consideram um modo de vida. Praticar agroecologia sem procurar transformar o contexto de desigualdade e as relações de poder, como a desigualdade de gênero, seria reduzir essa atividade a um mero conjunto de técnicas fechadas e abstratas.

É preciso considerar que, no passado, o desenvolvimento e a divulgação dos pacotes tecnológicos pela Revolução Verde trouxeram uma série de consequências devido a práticas inadequadas, que não levaram em conta a preservação dos recursos naturais (solo, flora, fauna, mananciais de água), os saberes, fazeres e sabores populares e a cultura de várias comunidades tradicionais. Esse processo alcançou os quilombos, tendo influenciado políticas que impactaram negativamente sua dinâmica social, desvalorizando seus saberes e modos de vida, estigmatizados como não produtivos.

Nos últimos anos, foram conquistados alguns avanços na definição de políticas para a agricultura familiar e para mulheres rurais trazendo como princípio básico a agroecologia, a valorização dos saberes tradicionais e as práticas de economia solidária, bem como destacando o papel da mulher.

No Território da Cidadania Velho Chico,[10] por exemplo, algumas políticas de acesso a crédito foram fundamentais para o desenvolvimento de várias comunidades rurais. Algumas comunidades quilombolas acessaram políticas públicas que permitem o escoamento de sua produção agroecológica, como o Programa Nacional de Aquisição de Alimentos (PNAE) e o Programa de Alimentação Escolar (PAA). Entre essas comunidades, destaco Tomé Nunes, no município de Malhada. As comunidades quilombolas da região são acompanhadas pela Central Regional Quilombola (CRQ). A CRQ é uma organização fundada em 2003 com o intuito de organizar as comunidades quilombolas do Território Velho Chico para discutir, reivindicar e acessar políticas direcionadas ao fortalecimento de suas bases. Nessa organização encontram-se vários grupos de mulheres quilombolas que ainda não conseguiram consolidar uma rede territorial e estadual de mulheres negras quilombolas.

Em função da pressão popular, houve alguns avanços para as mulheres do campo. Um deles foi a mudança nas normas de seleção de pessoas beneficiárias para facilitar o acesso de mulheres aos resultados da reforma agrária. Essa ação foi importante para garantir a discussão e a adoção de uma perspectiva de gênero em todos os procedimentos administrativos do então Ministério do Desenvolvimento Agrário, atualmente extinto. Outra conquista foi o estabelecimento da cota de 30% na representação das mulheres na distribuição de créditos do Programa Nacional de Fortalecimento da Agricultura Familiar (Pronaf), um exemplo de inclusão e da importância de ações afirmativas para igualdade de oportunidades e de tratamento entre homens e mulheres, como demonstrado por Lopes *et al.* (2010).[11]

Mesmo com alguns avanços alcançados pelas políticas públicas, ainda há uma lacuna referente à construção de projetos sociais que valorizem de fato a autonomia dos sujeitos. Ademais, os retrocessos nas políticas públicas que beneficiam a população rural e suas práticas ecológicas têm sido uma realidade enfrentada nos últimos governos, com impactos na retirada de direitos a partir do golpe parlamentar de 2016. Alternativas a este cenário devem ser discutidas e estratégias de resistência devem ser montadas e postas em ação o quanto antes. As organizações sociais não devem recuar, e sim manifestar continuamente seu poder de articulação e mobilização e, sobretudo, a força popular.

Vozes negras ecoadas: o ressoar de nosso grito a partir de nosso chão

No caminho percorrido para compreender a vivência agroecológica das mulheres quilombolas das comunidades de Pau D'arco e Parateca, foi possível presenciar momentos de motivação e de participação delas em várias atividades. Após a Marcha Nacional das Mulheres Negras, em 18 de novembro de 2015, e um grande seminário no quilombo em 6 de março de 2016, as pretas começaram a se (re)envolver comunitariamente, a se posicionar perante situações e a participar em espaços antes não ocupados.

No decorrer desse processo, duas ações concretas de ativismo e engajamento das mulheres do quilombo foram resultantes da pesquisa-ação que desenvolvi, o que foi muito gratificante: a regularização da Associação de Mulheres de Parateca (elas quitaram a dívida usando o dinheiro da venda de churrasquinhos, bolos e hortaliças) e a criação da Associação das Mulheres Guerreiras de Pau D'arco.

Compreender a vida e as histórias dessas mulheres – que, além de trabalhadoras, são mães, filhas, netas, sobrinhas, enfim, mulheres guerreiras – vai além do processo organizacional, pois o fato de elas estarem motivadas ou não para o trabalho coletivo depende de uma série de desafios que enfrentam na vida pública e privada. Desabrochar como uma flor da árvore que deu origem ao nome da comunidade. Será esse o rumo das quilombolas na superação desses desafios? Mulheres que sonham, sambam, vibram, buscam, querem liberdade, empoderamento, autonomia, justiça social, respeito, democracia e o tão almejado direito à igualdade.

Desenvolver este trabalho dentro de uma abordagem de pesquisa-ação só foi possível devido a uma atuação que já desenvolvia enquanto militante da comunidade e do movimento quilombola. Concluída a pesquisa, o meu desafio passou a ser o de buscar meios para continuar o trabalho desenvolvido junto com as mulheres. Refletir com os grupos de mulheres o contexto, a condição de mulheres quilombolas e levantar algumas possíveis parcerias são algumas das questões sobre a continuidade dos avanços alcançados com a pesquisa. A manutenção desse trabalho colaborativo é também importante pelo que ele representa enquanto método, isso porque determinadas metodologias e conceitos trabalhados por algumas empresas, ou até mesmo órgãos públicos, não conseguem se adequar ao modo de vida das mulheres nos quilombos.

Quero aqui também enfatizar a importância do Sistema de Produção Agroecológica e Sustentável (Pais). Esse sistema foi mencionando como uma intervenção a ser construída, mesmo após concluído este trabalho. Por se tratar de um projeto socialmente justo, ecologicamente correto, culturalmente aceito e economicamente viável, considero a possibilidade da construção de dois sistemas, um para cada grupo de mulheres, nas áreas que elas acharem adequadas e viáveis para tal implantação. Essa experiência foi pensada juntamente com os coletivos de mulheres, pois elas percebem como a cultura de base e até seu próprio formato (o plantio em círculo, a integração com as galinhas) dialogam com a ideia de "(re)envolvimento comunitário" trazida neste trabalho.

Os resultados desta pesquisa-ação não trazem apenas demandas de políticas públicas, cobranças ao poder público e intervenções práticas, uma vez que procurei também visibilizar a vivência de mulheres quilombolas, que carregam a marca da ancestralidade. Mulheres que conseguiram em um processo de diagnóstico colocar as indagações e questões que enfrentam, assim como a vontade de realizar desejos e alcançar objetivos traçados em grupo. Foi uma experiência difícil, enquanto pesquisadora pertencente ao quilombo, problematizar tantas questões que impedem o seu avanço. Em contrapartida, foi um exercício motivador observar, refletir e contribuir na construção de elementos norteadores úteis tanto para a formação quilombola, quanto para possíveis ações de órgãos públicos. Num contexto em que a política pública não tem conseguido perceber a importância estratégica desses coletivos e agir de forma concreta para o empoderamento identitário, econômico e social das mulheres em meio rural, a importância de pesquisas como a que desenvolvi é maior.

Ao pesquisar a minha comunidade, os grupos de mulheres e me ver sendo pesquisada por mim mesma, percebi que o caminho foi aberto e o grande passo foi dado, porque são as mulheres do quilombo Pau D'arco e Parateca que hoje dão visibilidade a elas mesmas. Que dão cores a um lugar de fala nosso, mas que historicamente foi negado. Esse é o primeiro eco de vozes que ressoam há anos, mas que pouco têm sido ouvidas. Hoje, ao escrever desse lugar de fala e também enquanto pesquisadora e acadêmica que sou, quero dizer às mulheres negras quilombolas e ao povo brasileiro que o nosso lugar de origem é o quilombo e nossas vozes vão ecoar mais longe. Tanto para fora, como para dentro, pois somos livres para voar de onde e para onde quisermos, sem esquecer quem somos e de onde viemos.

Percebo, com este trabalho, um renascer e florir das mulheres quilombolas num processo de "(re)envolvimento comunitário" deste grupo de mulheres pertencentes a um espaço de resistência marcado pelas dores da luta, mas também pela felicidade guerreira de acreditar na força do trabalho da coletividade. A minha voz, que ecoa nessas linhas, é a voz de todas as mulheres do quilombo. Ressalto que a ancestralidade se manifesta fortemente por estas linhas, traçadas em um processo tão dolorido.

Meu lugar de fala é do Quilombo Pau D'arco e Parateca. Em nossas escritas fica registrado que já não somos mais as mulheres negras quilombolas de antes. Pensar esses grupos em um processo de (re)envolvimento comunitário é uma forma de finalizar este texto, mas não a caminhada. As demandas trazidas por essas mulheres no processo de pesquisa-ação são extremamente importantes para o avançar das comunidades, abrindo-se para questões concernentes a relações de gênero, à juventude e às crianças inseridas nesse contexto. Um contexto cada vez mais preocupante e que se prenuncia caótico em nosso país.

Notas

[1] "Pau D'arco" advém do nome de uma árvore, já a origem do nome "Parateca" apresenta várias versões. De acordo com uma delas, surgiu de uma negra chamada Teca, que dançava tanto que na roda de samba o povo lhe dizia: "Para, Teca." Outra versão sugere a relação do nome com uma barca chamada *Teca*.

[2] Essa pesquisa foi desenvolvida durante as atividades de uma especialização que cursei antes de iniciar o mestrado, entre os anos 2015 e 2017, a Especialização em Inovação Social com Ênfase em Economia Solidária e Agroecologia do IFBaiano, *campus* Bom Jesus da Lapa.

[3] Na discussão sobre pesquisa-ação, baseei-me nas reflexões de Thiollent e Vasconcelos. Ver Thiollent, M. **Metodologia da pesquisa-ação**. 4. Ed. São Paulo: Cortez, 1988. (Coleção Temas Básicos) e Vasconcellos, H. S. R. de. A pesquisa-ação em projetos de educação ambiental. In: PEDRINI, A.G. (org.). **Educação ambiental**: reflexões e práticas contemporâneas. Petrópolis: Vozes, 1998. 123 p.

[4] Sobre as vantagens de utilizar diferentes abordagens de pesquisa, ver Günther, H. Pesquisa qualitativa versus pesquisa quantitativa: esta é a questão?. **Revista Psicologia e Pesquisa**, Juiz de Fora, v. 22, n. 2, 2006.

[5] Ver artigo publicado do site do Ministério Público, "O reconhecimento do direito à terra dos quilombolas a partir do multiculturalismo dos direitos humanos", no qual é citado o trecho de O'Dwyer, Eliane Cantorino. In: O'Dwyer, Eliane Cantorino (org.). **Quilombos**: identidade étnica e territorialidade. Rio de Janeiro: Fundação FGV, 2002. p. 18-19. Disponível em: http://www.mpf.mp.br/atuacao-tematica/ccr6/documentos-e-publicacoes/artigos/docs_artigos/o-reconhecimento-do-direito-a-terra-dos-quilombolas-a-partir-do-multiculturalismo-dos-direitos-humanos/view. Acesso em: 8 set. 2020.

[6] Munanga (2009) *apud* Santana, E.C.S. **Escolarização, festejos e religiosidade na constituição identitária de um Quilombo Contemporâneo no oeste da Bahia.** 2011. Dissertação de Mestrado em Educação, Programa de Pós-Graduação em Educação Contemporânea, Universidade do Estado da Bahia, Barreiras.

[7] Ver Altieri, 1989 *apud* Assis, R. L.; Romeiro, A. R. Agroecologia e agricultura familiar na região centro-sul do estado do Paraná. **Revista de economia e sociologia rural**, Brasília, v. 43, n. 1, jan.-mar 2005.

[8] Butto, Andrea *et al*. **Mulheres rurais e autonomia:** formação e articulação para efetivar políticas públicas nos territórios da cidadania. Brasília: Ministério do Desenvolvimento Agrário, 2014. p. 14-45.

[9] Ver Hora, K.; Macedo, G.; Rezende, M. (orgs.). **Coletânea sobre estudos rurais e gênero:** Prêmio Margarida Alves. 4. Ed. Brasília: Ministério do Desenvolvimento Agrário, 2015.

[10] Compõem o Território da Cidadania do Velho os municípios Barra, Bom Jesus da Lapa, Brotas de Macaúbas, Carinhanha, Feira da Mata, Ibotirama, Igaporã, Malhada, Matina, Morpará, Muquém de São Francisco, Oliveira dos Brejinhos, Paratinga, Riacho de Santana, Serra do Ramalho e Sítio do Mato. Da população de 349.689 habitantes que ocupa o território, mais da metade (57,49%) reside na área rural. Para essas e mais informações, consulte o site da Companhia de Desenvolvimento dos Vales do São Francisco e do Parnaíba, https://www.codevasf.gov.br/noticias/2008/territorio-velho-chicona-bahia. Acesso em: 9 ago. 2020.

[11] Lopes, A. L.; Butto, A. **Mulheres na reforma agrária:** a experiência recente no Brasil. Brasília: Ministério do Desenvolvimento Agrário, 2010.

Sementes crioulas, da ancestralidade para a atualidade: o protagonismo dos saberes tradicionais do povo quilombola de Lagoa do Peixe

CARLÍDIA PEREIRA DE ALMEIDA

Mulher quilombola do Quilombo Lagoa do Peixe, em Bom Jesus da Lapa, Bahia. Engenheira agrônoma formada pela Universidade do Estado da Bahia, Campus IX, pós-graduada em Inovação Social com Ênfase em Economia Solidária e Agroecologia pelo Instituto Federal Baiano, pós-graduada em Educação Ambiental com Ênfase em Espaços Educadores Sustentáveis pela Universidade Federal da Bahia e, atualmente, mestranda em Ensino e Relações Étnico-Raciais pela Universidade Federal do Sul da Bahia.

O QUILOMBO DE LAGOA DO PEIXE localiza-se na Bahia, à margem direita do rio São Francisco, no município de Bom Jesus da Lapa. Essa comunidade, ao definir-se como remanescente de quilombo, foi certificada pela Fundação Cultural Palmares em dezembro de 2004, cumprindo uma etapa imprescindível para obter a demarcação e a titulação de suas terras. Desde então, como designa a Instrução Normativa nº 56/2009, cabem ao Instituto de Colonização e Reforma Agrária (Incra) as ações do processo de "identificação, reconhecimento, delimitação, demarcação, desintrusão, titulação e registro das terras ocupadas por remanescentes das comunidades dos quilombos de que tratam o Art. 68 do Ato das Disposições Constitucionais Transitórias da Constituição Federal de 1988 e o Decreto nº 4.887/2003".[1]

O território quilombola de Lagoa do Peixe ocupa uma área de 6.926 hectares, onde a vegetação predominante é a caatinga. Atualmente, é constituído por 43 famílias que sobrevivem da pesca, agricultura e pequenas criações. Em outros tempos, o quilombo já produziu muito milho, feijão, abóbora, melancia, mandioca etc. Contudo, em razão das mudanças climáticas, houve perda recorrente de plantio desses alimentos, o que desestimulou os cultivos. Essa realidade tem contribuído para a redução e o consequente desaparecimento de sementes crioulas.

Pretendo nestas linhas dar a conhecer e afirmar a importância e o pertencimento das sementes crioulas como parte do conhecimento tradicional e do patrimônio cultural dos quilombos. Um saber desenvolvido ao longo de anos pela ação de agricultoras e agricultores quilombolas através de processos de melhoria de sementes antigas. Com este texto, ressalto a importância de manter viva essa cultura milenar, que garante a autonomia alimentar e preserva a biodiversidade.

Breve histórico da Central Regional Quilombola (CRQ)

As comunidades negras rurais do Território da Cidadania Velho Chico passaram por um processo histórico de discriminação, repressão, estigmatização, negação de direitos e escravização. O fato de alguns organismos sociais e populares terem iniciado um movimento de contestação a essas opressões reforça a batalha por reparação pelos danos e maus tratos a que os povos desse território foram submetidos ao longo do tempo. Com essas lutas surgiram alguns movimentos sociais que militaram e militam de forma bem expressiva pelos direitos do povo negro do território Velho Chico. Com o passar do tempo, esses movimentos foram criando força e aumentando em proporção, como o Movimento Estadual de Trabalhadores Assentados, Acampados e Quilombolas (Ceta). Também se destacam algumas organizações voltadas para a regularização fundiária e a organização sociopolítica das comunidades negras, como a Coordenação Nacional das Comunidades Quilombolas (Conaq) e o Conselho Estadual das Comunidades e Associações Quilombolas do Estado da Bahia (Ceaq/BA).

Sentindo a necessidade de uma organização voltada para as características mais singulares desse território e que lutasse pelas particularidades das comunidades negras ribeirinhas e do Oeste da Bahia, em 2003 criamos a Central Regional das Comunidades Quilombolas do Oeste da Bahia, que mais tarde se tornou a Central Regional Quilombola (CRQ).

A CRQ tem como principal objetivo organizar todas as ações propostas para as comunidades quilombolas das cidades que compõem o Território da Cidadania do Velho Chico (Barra, Carinhanha, Brotas de Macaúbas, Feira da Mata, Ibotirama, Igaporã, Malhada, Matina, Morpará, Muquém de São Francisco, Oliveira dos Brejinhos, Paratinga, Riacho de Santana, Serra do

Ramalho, Sítio do Mato e Bom Jesus da Lapa). Essas ações podem abranger as esferas de proteção e assistência social, de infraestrutura, de educação escolar, de políticas de saúde, entre outras. A organização está, ainda, diretamente ligada às atividades culturais, educacionais e sociopolíticas executadas no território, principalmente quando se trata da cultura afro-brasileira e da conscientização étnico-racial de crianças, jovens e adultos.

Desde a criação da CRQ já foram elaborados vários projetos culturais em diversas comunidades do território, sempre buscando a preservação da cultura negra e a valorização dos costumes e tradições ancestrais. Um dos principais eventos desenvolvidos é a Semana da Consciência Negra, realizado desde 2003, em parceria com a Comissão Pastoral da Terra (CPT), o Movimento Negro Unificado de Bom Jesus da Lapa (MNU) e a Universidade do Estado da Bahia (Uneb). Durante essa semana organizamos atividades nos quilombos e na sede do município, como palestras, oficinas, seminários e outras ações educativas e culturais, que têm envolvido um grande número de pessoas.

Outro esforço da CRQ para valorização e divulgação da cultura e história negras, e que tomou grandes proporções, foi a cobrança pela implementação da Lei 10.639/03, que estabelece a obrigatoriedade da inclusão do ensino de história e cultura afro-brasileira na educação básica.

Assim, a participação da CRQ tem se tornado cada vez mais necessária em diferentes campos, como no reforço da luta por melhores oportunidades e condições para a educação do nosso povo, reivindicando a aplicação da Lei 10.639/03 e também militando para a implantação das Diretrizes Curriculares para a Educação Quilombola no Brasil, uma proposta de que teve como base o trabalho de grupos organizados entre estudiosos e comunidades quilombolas na Bahia. Essa é uma luta ainda em curso, em que seguimos exigindo Diretrizes Curriculares para a Educação Quilombola no estado da Bahia e a efetiva participação no Fórum

Baiano de Educação Quilombola. A ocupação desses espaços é de suma importância, pois, além de dar visibilidade à região, propicia aos quilombos deste território maior qualidade no acesso à informação, contribuindo para a construção de um modelo de educação adequado às suas necessidades e especificidades.

Quilombo

Como salienta Lúcia Gaspar,[2] os quilombolas, enquanto grupo social, distinguem-se do restante da sociedade devido ao seu pertencimento a uma identidade étnica. De acordo com essa autora, a identidade étnica transcende as características fenotípicas, como a cor da pele, correspondendo a um processo de autoidentificação que abrange também as formas de organização política, econômica e social, a linguagem, a ancestralidade e aspectos culturais e religiosos.

O compartilhamento desses elementos nos quilombos reforça os laços sociais e o senso de pertencimento dos membros da comunidade. O processo de autoidentificação, por sua vez, é reiterado, transformado e constituído pelos processos de resistência dos quilombos, que permitem a manutenção e a reprodução da vida coletiva e individual quilombola.

Gaspar salienta ainda que dinâmicas diversas, que vão muito além das estratégias de fuga, estiveram na base da constituição das comunidades quilombolas, como a ocupação de terras livres, o recebimento de heranças e doações, a aquisição de terras pela compra ou como pagamento pela prestação de serviços, entre outros. De acordo com Eliane Cantarino O'Dwyer, citada por Valdélio Silva,[3] os quilombos "consistem em grupos que desenvolveram práticas cotidianas de resistência na manutenção e reprodução dos seus modos de vida característicos e na consolidação de um território próprio".

A discussão sobre a história do conceito de "quilombo" é controversa entre a população afrodescendente. Segundo Ilka

Boaventura Leite,[4] "falar dos quilombos e dos quilombolas no cenário político atual é, portanto, falar de uma luta política e, consequentemente, uma reflexão científica em processo de construção".

Em *Rebeliões na senzala*, Clóvis Moura[5] apresenta uma definição de quilombo determinada pelo Conselho Ultramarino de 1740, a qual o apresentava como "toda habitação de negros fugidos que passem de cinco, em parte despovoada, ainda que não tenham ranchos levantados nem se achem pilões neles".

Para José Maurício Arruti,[6] a definição de quilombo abarca aspectos como:

> ruralidade, forma camponesa, terra de uso comum, apossamento secular, adequação a critérios ecológicos de preservação dos recursos, presença de conflitos e antagonismos vividos pelo grupo e, finalmente, mas não exclusivamente, uma mobilização política definida em termos de autoidentificação quilombola.

O trabalho deste autor permite compreender um pouco da história do nome "quilombo".[7] Ele argumenta que contemporaneamente o termo tem sido quase sempre acompanhado de algum adjetivo: remanescente, histórico, contemporâneo, dentre outros. Se existe o desejo de adjetivar as diversas manifestações desse conceito, ele adverte que atribuir um adjetivo ao nome "quilombo" implica o risco de incluir ou excluir grupos sociais na sua definição e limitar a diversidade de manifestações de formação dos quilombos. Nesse sentido, conclui que o termo aparece na literatura acadêmica como um objeto aberto.

Se há um ponto em comum observado na existência dos quilombos é a diversidade. Cada quilombo é diferente do outro e não há a necessidade de fixar categorias estáticas, devido ao processo de reconhecimento da própria comunidade. Isso leva a pensar os quilombos como uma categoria dinâmica, na medida em que diversas formas de aquilombamento foram construídas em diferentes fases, nas quais quilombolas procuraram resistir e adequar seus métodos de resistência em resposta às múltiplas facetas do sistema de opressões e exploração imposto.

Herança e resistência

As comunidades quilombolas assumem formas próprias de organização, que remontam a uma ancestralidade de povos africanos. Muitos vivem principalmente da agricultura, da pesca artesanal, do artesanato, do extrativismo, dentre outras atividades que guardam traços particulares de resistência. Assim, quilombolas construíram territórios e defendem as terras dos seus antepassados, negras e negros, que lutaram contra a escravização. São comunidades que travam diariamente o embate pelo direito à terra e ao território, bem como por políticas públicas específicas, das quais foram sistematicamente privadas devido ao racismo do Estado.

Uma das práticas culturais dos povos tradicionais[8] é cultivar e preservar suas próprias sementes, sementes da vida, que trazem uma carga do passado no presente e, ao mesmo tempo, lançam uma ponte para o futuro. Essas sementes são um símbolo de forças latentes, misteriosas, portadoras de esperança para as comunidades tradicionais. Trata-se das sementes locais, sementes crioulas ou variedade local, cujo melhoramento genético é limitado a intervenções de seleção massal. Essas sementes são cultivadas por comunidades tradicionais localizadas em áreas geográficas e ecológicas distintas, por isso são diversas em sua composição e adaptadas a diferentes condições agroclimáticas.[9]

As práticas de preservação das sementes crioulas desenvolvidas por povos tradicionais apresentam singularidades. A diversidade na forma de produzir, vender, comprar e trocar é baseada nos princípios de solidariedade, soberania alimentar e conservação, de modo a selecionar as melhores sementes e armazená-las de maneira adequada para a multiplicação. Essa é uma cultura milenar transmitida de geração em geração, que envolve toda uma simbologia e um sentimento de pertencimento.

Para quilombolas, a troca de sementes é muito mais que uma simples transação; esse ato significa respeito, união, solidariedade e coletivismo, sendo uma manifestação da cultura quilombola. É importante ter em mente o forte simbolismo da dádiva entre povos tradicionais. A cultura de respeito à troca é repassada milenarmente. Os ritos e comunhões reforçam o poder mágico e religioso dos atos de dar e receber, que fazem parte da essência espiritual do nosso povo.

Uma senhora de 85 anos de idade moradora do Quilombo Lagoa do Peixe nos relatou com muita tristeza ter perdido, em 2015, a semente de feijão que tinha havia mais de quatro décadas. De tão bom o feijão era chamado de "feijão levanta homem", por ser forte, graúdo e resistir ao sol, nos contou Jatobá, outro morador do quilombo. Jatobá acrescentou: "É muito importante essa troca. Aqui na Lagoa do Peixe, quando matava um bode, você pode acreditar, o que ficava era a conta de cozinhar duas vezes, porque toda a comunidade ganhava um pedacinho".

Há um saber consolidado entre os povos tradicionais sobre o manejo das sementes e as várias técnicas de plantio. Com base nesse saber, preserva-se a espécie e promove-se seu constante melhoramento, pelo trabalho de seleção de agricultoras e agricultores, que sempre guardam a melhor semente crioula tendo em vista sua perpetuação. Essa forma ancestral de manejar e envolver-se com a terra consolida um sentimento de pertencimento ao território, que forma a base de resistência dos povos tradicionais.

No cultivo das roças, tomam-se cuidados minuciosos, intimamente relacionados às simbologias da ancestralidade nas práticas agrícolas. Quilombolas de Lagoa do Peixe fazem simpatias e preces para que a colheita seja farta, e utilizam a fases da lua para orientá-los na agricultura. Na lua crescente, depositam as sementes de melancia, feijão, milho na terra, por exemplo, pois acreditam que essas sementes germinam melhor nessa fase da lua.[10]

"A semente de melancia, quando vou plantar, eu coloco numa casca de pau bem grande, que é pra quando nascer ficar grande igual à casca do pau", diz Juazeiro, de 82 anos, do Quilombo Lagoa do Peixe. O senhor Jatobá acrescenta: "As manivas da mandioca, ao plantar, eu costumava colocar em uma gamela, que é para raízes ficarem grandes e grossas". Quando perguntada há quanto tempo têm as sementes de melancia, em risos, a quilombola Aroeira respondeu: "Desde quando Deus fez o mundo".

Quilombolas costumam armazenar as sementes em cabaças, paiol, potes, tambores, latas e panelas de barro. Hoje em dia é mais comum guardarem em garrafas PET. Muitas práticas têm se perdido com o tempo. Para a conservação dessas sementes são utilizadas cinzas do esterco de gado e/ou cânfora, que as preservam por mais de ano. Trata-se de uma diversidade de saberes locais que reforça e consolida a identidade e o pertencimento ao território em sintonia e experiência com o meio natural.

Convém aqui ressaltar a sabedoria dos povos tradicionais a partir de um sistema de conhecimento (*corpus*) através de um sistema de crença (*kosmos*), que ganha sentido em função da prática (*práxis*), atendendo suas necessidades, tanto materiais quanto espirituais.[11] "Para conservar as sementes na roça, colocava cinza da fogueira do Senhor São João, depositava um pouco de cinza em três pontos da roça e deixava o outro liberto, ali você plantava, você colhia, nem o bezecriol precisava passar. Colhia a roça todinha e não tinha imundície", disse Jatobá em entrevista.

Esse conjunto de práticas vêm representando um verdadeiro acervo para quem se interessa em compreender quais estruturas agem em um agroecossistema complexo. A força do conhecimento de povos tradicionais deriva não só da observação sistemática, como também da aprendizagem empírica, da valorização da ancestralidade e do respeito pelo sagrado. Há uma magia nos saberes tradicionais, o sentimento de pertencimento, o *kosmos*, a entrega a toda uma divindade que se perpetua até os dias de hoje desde dezenas, centenas, milhares de anos. Nesse sentido, é importante que os saberes tradicionais sejam mantidos vivos. São saberes incontestáveis e libertadores, que vêm construindo cada vez mais um campo de conhecimento desprendido do modelo produtivo capitalista de matriz colonial.

Viver e reviver

Os povos tradicionais têm insistido e resistido. Na sua luta pela terra têm preservado suas culturas, seus direitos e seus territórios. Ao mesmo tempo que o conhecimento tradicional aspira à simplicidade e à generalidade, há nele uma sabedoria profunda atenta ao detalhe e à singularidade de cada experiência. São esses povos que têm dado exemplos contundentes de como permanecer existindo e resistindo. Uma lição extremamente valiosa em tempos de retrocesso, quando os efeitos de uma sociedade excludente se revelam de forma tão exacerbada. Onde há vidas, há um povo de saber único que quer viver e reviver!

Há muito a aprender com os modos de produção dos povos tradicionais, uma vez que apresentam uma forte base ecológica e mantêm uma preciosa diversidade genética, promovendo a regeneração e a preservação dos recursos naturais. Essas formas de cultivo geram uma produção diversificada, garantindo às famílias uma alimentação saudável e uma renda importante proveniente de comercialização e troca, fomentando a economia solidária. Seguindo os conhecimentos tradicionais locais, pratica-se o uso consciente da água e do solo e preservam-se as sementes crioulas, compondo um microclima saudável para as famílias. Esses conhecimentos têm um valor substancial para compreender como os povos tradicionais percebem, concebem e conceitualizam os recursos, as paisagens e os ecossistemas dos quais dependem para subsistir.

Porém, o que esses tempos de retrocesso parecem descortinar é o caminho para a extinção de toda essa dinâmica ancestral. Um cenário lamentável que vem ecoando nos relatos da população quilombola, como neste concedido por Umburana, que nos conta: "Toda vida, nós tinha essa semente, guardava em sacos para o ano seguinte. Aquele tempo é que era bom, sabe. Plantava arroz, eu tinha um milho que era branco, branco". Como afirma Umburana, as sementes crioulas que garantiram a base alimentar da população durante milênios, possibilitando sua sobrevivência, hoje estão desaparecendo. São poucas as agricultoras e agricultores que ainda as cultivam e as preservam.

O extermínio das experiências acumuladas em forma de sabedoria dos povos tradicionais, como tem ocorrido, pode resultar na extinção dos principais componentes do complexo biocultural da espécie humana.

As sementes crioulas fazem parte da história da humanidade, sendo símbolo de resistência, da divindade, do amor, da fertilidade, da colheita e da magia para os povos tradicionais. É essencial que se valorize essa produção de saber e de história, os métodos de cultivo, as crenças ancestrais, as formas de relação com a terra, de modo a manter viva uma cultura milenar que busca a liberdade e defende a biodiversidade.

Notas

[1] Ver esta e outras instruções normativas divulgadas no site do Instituto Nacional de Colonização e Reforma Agrária (Incra): http://incra.gov.br/pt/instrucao-normativa. Acesso em: 9 set. 2020.

[2] Gaspar, Lúcia. Quilombolas. **Pesquisa Escolar Online**, Fundação Joaquim Nabuco, Recife. Disponível em: <http://basilio.fundaj.gov.br/pesquisaescolar/>. Acesso em: 14 set. 2020.

[3] Trecho originalmente publicado em O'Dwyer, Eliane Cantorino (org.). **Quilombos**: identidade étnica e territorialidade. Rio de Janeiro: Fundação FGV, 2002. p. 18-19. Citado por: Silva, Valdélio Santos. Rio das Rãs à luz da noção de quilombo. **Afro-Ásia**, Salvador, n. 23, p. 267-295, 2000. Disponível em: https://portalseer.ufba.br/index.php/afroasia/article/view/20987/13588. Acesso em: 9 set. 2020.

[4] Leite, I.B. Os quilombos no Brasil: questões conceituais e normativa. **Etnográfica**, v. 4, n. 2, 2000, p. 333-354. Disponível em: http://www.ceas.iscte.pt. Acesso em: 3 set. 2018.

[5] Moura, C. **Rebeliões na senzala**: quilombos, insurreições, guerrilhas. São Paulo: Ciências Humanas, 1981.

[6] Arruti, José Maurício. **Mocambo**: antropologia e história do processo de formação quilombola. Bauru, SP: Edusc, 2006.

[7] Id. Quilombos. In: Pinho, Osmundo (org.). **Raça**: novas perspectivas antropológicas. 2. ed. Salvador: ABA/Ed. da Unicamp/Edufba, 2008.

[8] As comunidades tradicionais são definidas pelo Decreto nº 6.040/2007 como "grupos culturalmente diferenciados e que se reconhecem como tais, que possuem formas próprias de Organização social, que ocupam e usam territórios e recursos naturais como condição para sua reprodução cultural, social, religiosa, ancestral e econômica, utilizando conhecimentos, inovações e práticas gerados e transmitidos pela tradição".

[9] Ver Barrera-Bassols, N.; Zinck, J. A.; Ranst, E. V. (2006) Symbolism, knowledge and management of soil and land resources in indigenous communities: ethnopedology at global, regional and local scales. **Catena**, v. 65: 118--137; Toledo, V. M. **La paz en Chiapas**: Ecologia, luchas indígenas y modernidad alternativa. México, D.F: Ediciones Quinto Sol, 2000; e Trindade, C. C. Sementes crioulas e transgênicos: uma reflexão sobre sua relação com as comunidades tradicionais. In: congresso nacional do conpedi, 15, 15-18 nov. 2006, Manaus. Disponível em: http://www.conpedi.org.br. Acesso em: 3 ago. 2015.

[10] A Rede de Agricultura Sustentável (RAS) afirma que a lua crescente é a fase em que a lua exerce uma boa influência às plantas, pois a seiva está presente em maior quantidade no caule, nos ramos e nas folhas (RAS, 2008). Ver http://www.agrisustentavel.com/discussoes/dlunar.htm. Acesso em: 9 ago. 2020.

[11] Ver Toledo, V. M. **La paz en Chiapas**: Ecologia, luchas indígenas y modernidad alternativa. México, D.F: Ediciones Quinto Sol, 2000.

Mulher quilombola em primeira pessoa

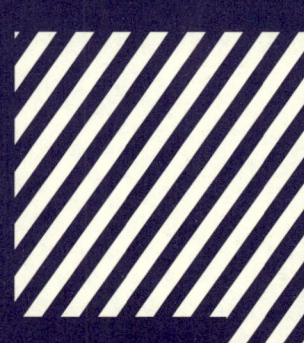

MÔNICA

DALILA

REJANE

ANDREIA

NILCE

DALILA REIS MARTINS

Mulher quilombola do Engenho II, Território Kalunga, em Cavalcante, Goiás. Graduanda em Artes Visuais e Música na Universidade Federal de Tocantins, também é artesã, cantora e guia turística do Sítio Histórico e Patrimônio Cultural Kalunga.

MÔNICA MORAES BORGES

Mulher quilombola do Território Étnico de Alcântara, no Maranhão. Bacharela em Direito pela Universidade Federal do Maranhão, atualmente exerce a função de assessora jurídica da Comissão de Territórios Tradicionais no Instituto de Colonização e Terras do Maranhão. É fundadora da Associação do Território Étnico Quilombola de Alcântara e membro consultiva da Comissão da Verdade da Escravidão Negra no Brasil da seccional do Maranhão da Ordem dos Advogados do Brasil.

REJANE MARIA DE OLIVEIRA

Mulher quilombola do Quilombo Maria Joaquina, em Cabo Frio, no Rio de Janeiro. Educadora ambiental e membro da Associação das Comunidades Quilombolas do Estado do Rio de Janeiro. É coordenadora nacional da Conaq.

ANDREIA NAZARENO DOS SANTOS

Mulher quilombola de Grossos, em Bom Jesus, no Rio Grande do Norte. Tecnóloga em Gestão de Cooperativas, integra a Coordenação Estadual das Comunidades Quilombolas do Estado do Rio Grande do Norte e a Coordenação Nacional da Conaq.

NILCE DE PONTES PEREIRA DOS SANTOS

Mulher quilombola do Quilombo Ribeirão Grande/Terra Seca, em Barra do Turvo, em São Paulo. É agricultora agroecológica.

DALILA REIS MARTINS, MÔNICA MORAES BORGES, REJANE MARIA DE OLIVEIRA, ANDREIA NAZARENO DOS SANTOS E NILCE DE PONTES PEREIRA DOS SANTOS

Mulher Quilombola em poema

Na calada do breu, sinto em mim o prazer de ser quilombola.
Na instância que me inunda desta vida Kalunga
E a dignidade de ter e fazer crescer o meu dia
Carregar em meu seio o anseio de fazer parte desta família
Desde que nasci já descobri
O sangue que me inunda é de uma mulher do quilombo Kalunga
A qual me deu a honra de ser, eu, filha de negra escravizada que já faleceu.
Não deixa a falência matar na consciência.
O meu teor
Ser mulher Kalunga é cultura, alegria e suor
Empurrar os absurdos da pele deliciosa que atrai o bem e o mal
Ser mulher negra é o conter do sal, do suor, o mel, o cipó, o chá que acalenta
Nas dores, brisas mansas, no sofrer, dá um nó que ata
Faz de uma vida ingrata, um tacho doce que alimenta quem diz
Que é da mulher negra que está aqui a raiz da semente de uma guerreira
Que passa primeiro por sua sabedoria, não importa o dia
Em que ser mulher negra é este presente todos os dias nesta pintura natural
E as outras que não me levem a mal, dona desta pintura é Deus
Mas usou dos gestos seus em cada pincelada.
Com semente de fruta madura
Para a mulher do quilombo Kalunga, ter em seu anseio sem receio
Toda esta doçura
Sou quilombola, sim, e está em mim o orgulho de ser
Fazer crescer com muito amor
Este quadro que Deus me mandou
A passagem de alegria, ainda que chore todos os dias a reprovação do universo

DALILA REIS MARTINS, MÔNICA MORAES BORGES, REJANE MARIA DE OLIVEIRA, ANDREIA NAZARENO DOS SANTOS E NILCE DE PONTES PEREIRA DOS SANTOS

Cada prova é um saber, e nos faz crescer, pois cada dia de uma poesia é um verso.
Termino por aqui sem me iludir neste mundo que se faz
Pérola negra, sim; escravizada nunca mais.
Com muito orgulho e dignidade
Embora tenha saudade, não desistirei de lutar por aqueles que se foram
Deixando no coro a solidez sem mentira
É partir com crimes sem solução
Mas levando na mão o diploma e o orgulho
De mostrar para o futuro que só a dignidade faz uma mulher de verdade
Sou mulher negra Kalunga e sou livre.

DALILA REIS MARTINS

DALILA REIS MARTINS, MÔNICA MORAES BORGES, REJANE MARIA DE OLIVEIRA, ANDREIA NAZARENO DOS SANTOS E NILCE DE PONTES PEREIRA DOS SANTOS

O que é ser uma mulher quilombola?

Escrever o que é ser uma mulher quilombola, logo hoje, um dia tão marcante para todo o movimento negro, o da morte de Zumbi dos Palmares, data em que se convencionou comemorar o Dia da Consciência Negra, é ainda mais forte e desafiador do que em outros dias. Afinal, como externar tanta luta, tanta força, tanta obstinação? E, sobretudo, tanta perseverança envolvida no que significa nascer mulher quilombola?

Depois de alguns anos de militância, na militância em que nasci, quando ingressei na universidade pude ter acesso a alguns textos da poeta, ensaísta, feminista interseccional e ativista Audre Lorde. Em um de seus escritos, Lorde fala da não existência de hierarquia de opressões, e essa leitura me fez mensurar, verdadeiramente, a magnitude que perpassa a construção da identidade da mulher negra quilombola.

Pude perceber que eu não me limitava a uma só pauta, pois havia sobre mim um acúmulo de opressões. Logo, todo ataque às mulheres era um ataque a mim, assim como todo ataque aos negros era também a mim e, por fim, todo ataque a quilombolas era direcionado a mim, pois pertenço a cada uma dessas comunidades.

Entender isso foi libertador e fortalecedor, pois percebi que sou muitas, e assim posso ser mais forte. Mas, depois de um tempo e acessando outras leituras, fui reformulando e questionando minhas próprias proposições. Sonhar que um dia não haverá acúmulo de opressões é hoje para mim irracional. Uma mulher não negra dentro desse sistema racista não sofrerá na mesma proporção as limitações impostas às mulheres negras.

Sendo mulher quilombola, lutar por um mundo livre de opressões traz o peso da idealização da mulher forte, incansável e que luta eternamente pelos seus direitos. Antes de tudo, ressalto que essa construção vem do período em que nosso povo foi escravizado, quando nós, mulheres, fomos igualadas aos homens na força de trabalho. Assim, éramos obrigadas a demonstrar força, por uma questão de sobrevivência. É preciso discutir o quanto a perpetuação dessa imagem até os dias atuais tem sido prejudicial para a nossa saúde mental. É danosa, pois nos obriga a não esmorecer, a carregar o peso de ser sempre o esteio que nunca quebra, impedindo que tenhamos momentos de fragilidade como qualquer ser humano, negligenciando, em certas ocasiões, até o direito de ser feminina e expor a delicadeza – que nada tem a ver com vulnerabilidade, que é inerente à condição social do nosso sexo.

Ademais, hoje entendo que ser mulher quilombola tem a ver com força, mas não significa ser forte sempre; não significa lutar a todo instante, mas é travar uma vida de batalhas intermináveis. E, sobretudo, tem a ver com RESISTÊNCIA. Resistiram por mim, e eu continuarei resistindo, pois eu sou porque nós somos. UBUNTU!

MÔNICA MORAES BORGES

Eu, mulher quilombola

Algumas cuidam da casa, da roça e da educação familiar.
Outras estão em defesa dos territórios para fazer de fato os direitos serem exercidos. Garantindo espaços nos movimentos, de falar, de votar e representar.
Trazendo autoestima para aquelas que estão em casa, reforçando que o lugar de mulher não é só na cozinha, e sim onde ela quiser.
As mulheres militantes quilombolas sempre estão ouvindo e aprendendo com as mulheres que estão em casa e na roça.
Vivem apreensivas aguardando as notícias de que as comunidades quilombolas terão finalmente acesso às políticas sem burocracias.
A mulher quilombola luta pelo direito da sua família, luta por dignidade, luta contra o racismo e pelo sonho que um dia sonhou, e que hoje sonha pelo sonho do filho e da filha.
Mulher quilombola é aquela que se orgulha da atitude positiva, mesmo quando está chorando por dentro.
Acompanha o processo de perto, luta como leoa e é companheira em todo momento; na roça, na alegria e na tristeza.
Quantas mulheres quilombolas morreram com seus sonhos sem realizar? Sem ver seu território se titular?
Quantas mulheres não tiveram nem direito a sonhar o próprio sonho?
Somos mulheres quilombolas de várias qualidades, de várias profissões.
O importante é que somos mulheres e exigimos todo o respeito.
As mulheres quilombolas carregam uma fé muito grande. É uma bagagem cheia de saberes e conhecimentos que vêm da ancestralidade, passados de geração em geração.
Mulher quilombola é exemplo de luta, coragem e resistência.
Mesmo sendo diferentes em algumas coisas, essas diferenças não nos separam umas das outras. Elas nos unem.

REJANE MARIA DE OLIVEIRA

DALILA REIS MARTINS, MÔNICA MORAES BORGES, REJANE MARIA DE OLIVEIRA, ANDREIA NAZARENO DOS SANTOS E NILCE DE PONTES PEREIRA DOS SANTOS

Ser mulher quilombola

Ser mulher quilombola é saber que faço parte de uma raça que tem resistência, que luta todos os dias contra o preconceito, buscando sempre nossos direitos.

Ser mulher quilombola é ser guerreira em qualquer lugar e ocasião, nunca baixar a cabeça e sempre persistir no quilombo. E é isso que realmente importa: seguir em frente, sempre vendo o lado bom das coisas e os pontos positivos.

Ser mulher quilombola é nossa identidade negra. Ter garra, determinação, ser empoderada.

Ser mulher quilombola é buscar os ideais, é lutar pelo que acredita.

Ser mulher quilombola é ter opinião própria, é ser inspiração.

É ver e sentir a importância das lutas.

É aprender com a resistência das mulheres quilombolas que enfrentaram bravamente o período da escravidão.

Desde a falsa abolição da escravatura até os dias atuais, as lutas são fundamentais como fortalecimento dos quilombos.

Nós lutamos pela garantia das políticas públicas.

Lutamos para promover o direito de ser mulher quilombola e nunca nos abalar com quaisquer dificuldades.

Ser mulher quilombola é lutar por igualdade, justiça e pela titulação dos nossos territórios.

ANDREIA NAZARENO DOS SANTOS

Como me vejo mulher quilombola

Eu nasci num território que é um espaço sagrado: o meu Quilombo Ribeirão Grande/Terra Seca, no município de Barra do Turvo, no estado de São Paulo. Nesse território sagrado nasci e me criei, labutando no quilombo, vivendo com práticas e ensinamentos que respeitam o meio ambiente, a natureza, as águas, as matas, praticando, há 39 anos, agricultura quilombola agroflorestal agroecológica com métodos e conhecimentos de alternância dos sistemas de coivaras.[1] Sou tataraneta do senhor Miguel de Pontes Maciel, fundador do quilombo, e o direito do meu povo ao território é imemorial, nos foi passado por aqueles e aquelas que vieram antes de nós.

Eu sei que o que aprendi com as práticas de produção agrícolas quilombolas foi transmitido pelas minhas ancestrais, entre elas minhas avós, Josefa Xavier da Rocha, Rosa Marques dos Reis Maciel, Maria de Paula Pereira, Angelina de Pontes Morato, e minha mãe Izaira de Pontes Maciel, que foram e são as minhas grandes inspirações de vivência e resistência na cultura, no cuidado da saúde com as plantas medicinais, na salvaguarda das sementes crioulas e no fortalecimento das nossas práticas religiosas.

Nas práticas agrícolas agroecológicas (um termo muito recente para nós, quilombolas, e por isso pouco usado), utilizo a sistematização do que foi feito e construído por muitos anos para garantir uma alimentação saudável sem uso de agrotóxico, com respeito ao alimento que colocamos nas nossas mesas e nas dos outros. Nós acreditamos que o alimento é uma cura física e espiritual. Eu sempre fui ensinada a respeitar o meu território, sabendo que é deste espaço que se constrói uma vivência e uma relação com o sagrado, que me fortaleço espiritualmente.

Na minha identidade, tenho como elementos centrais o fogo, a água e a terra. A união desses elementos são pontos centrais para o fortalecimento da identidade negra quilombola.

DALILA REIS MARTINS, MÔNICA MORAES BORGES, REJANE MARIA DE OLIVEIRA, ANDREIA NAZARENO DOS SANTOS E NILCE DE PONTES PEREIRA DOS SANTOS

Materializo a união desses elementos nas minhas práticas agrícolas, o que me fortalece como produtora agrícola quilombola. No meu território reúno corpo e mente, defendendo um templo sagrado, que me permite viver e produzir alimentos e plantas, cuidar de animais e dos plantios, não esquecer do poder das ervas e plantas medicinais, do uso da natureza como ornamentação e da produção artesanal, que garante as ferramentas agrícolas de trabalho.

Cada uma e cada um vive e valoriza o mundo de acordo com seus entendimentos. Eu acredito muito no que falo e em como vivo, o que eu vivo e sei estar na minha produção, de arroz, milho, feijão, mandioca, hortaliças e frutas.

Barra do Turvo é um município paulista no Vale do Ribeira, que faz divisa com o estado do Paraná e reúne situações extremas das características geomorfológicas da região. Está localizado a 320 quilômetros de distância da cidade de São Paulo e a 150 quilômetros de Curitiba. O acesso se faz pela Rodovia Regis Bittencourt (BR-116). Sua formação geográfica cria verdadeiros obstáculos para o acesso às terras habitáveis. Protegida pelas serras e banhada por rios de difícil acesso, essa foi uma importante área de refúgio para nós, quilombolas. Hoje, os obstáculos logísticos relacionados a esse posicionamento impõem dificuldades à infraestrutura local e ao escoamento de nossa produção.

Em nosso quilombo, as famílias garantem seu sustento com o que se produz nas roças, adotando o sistema da coivara, com a criação de animais de pequeno porte e com o extrativismo. Tradicionalmente, adquirimos em relações comerciais de troca produtos de que precisamos mas não obtemos em nosso trabalho na agropecuária. Porém, isso vem sendo desestimulado, minado pelas limitações impostas pelo capital.

Muitas e muitos quilombolas, assim como eu, não se enxergam nessa visão separatista do capital que só visa ao lucro, prega a morte, não vê a vida dos elementos culturais e espirituais. Sem o nosso território não há produção, sem produção não há o culto ao sagrado, e sem esse culto não há vivência alimentar. A humanidade não percebe que está perdendo a vivência e desrespeitando os elementos naturais, e que esse movimento pode nos levar a consequências irreversíveis.

NILCE DE PONTES PEREIRA DOS SANTOS

Nota

[1] É o mesmo que colocar fogo nas roçadas para desembaraçar o terreno e adubá-lo com as cinzas, facilitando a cultura.

Impresso em setembro de 2021 na Gráfica Loyola,
nas fontes Mercury Text G4 e Aktiv Grotesk,
em Pólen Soft 80g.